中华人民共和国法律释义丛书

全国人民代表大会常务委员会法制工作委员会　编

中华人民共和国
行政强制法释义

主　编：信春鹰（全国人大常委会法制工作委员会副主任）

副主编：李　援（全国人大常委会法制工作委员会行政法室原主任）

撰稿人（以姓氏笔画为序）：

王超英　齐　冰　刘海涛　李　援

李文阁　李　辉　张　涛　张世诚

张晓莹　杨　威　曹　阳　黄　薇

黄海华　童卫东

法律出版社

图书在版编目(CIP)数据

中华人民共和国行政强制法释义 / 全国人大常委会法制工作委员会编. -- 北京 : 法律出版社, 2011.7(2018.11 重印)
(中华人民共和国法律释义)
ISBN 978 - 7 - 5118 - 2272 - 7

Ⅰ. ①中… Ⅱ. ①全… Ⅲ. ①行政执法－强制执行－法律解释－中国 Ⅳ. ①D922.114

中国版本图书馆 CIP 数据核字(2011)第 129805 号

中华人民共和国行政强制法释义
ZHONGHUA RENMIN GONGHEGUO XINGZHENG QIANGZHIFA SHIYI

全国人大常委会法制工作委员会 编

责任编辑 麦 锐
装帧设计 李 瞻

编辑统筹 法规出版分社
出版 法律出版社
开本 850 毫米×1168 毫米 1/32
总发行 中国法律图书有限公司
印张 9.125
经销 新华书店
字数 166 千
印刷 北京玺诚印务有限公司
版本 2011 年 7 月第 1 版
责任印制 吕亚莉
印次 2018 年 11 月第 6 次印刷

法律出版社/北京市丰台区莲花池西里 7 号(100073)
网址/www.lawpress.com.cn
投稿邮箱/info@lawpress.com.cn
销售热线/010 - 83938336
举报维权邮箱/jbwq@lawpress.com.cn
咨询电话/010 - 63939796

中国法律图书有限公司/北京市丰台区莲花池西里 7 号(100073)
全国各地中法图分、子公司销售电话:
统一销售客服/400 - 660 - 6393
第一法律书店/010 - 83938334/8335 西安分公司/029 - 85330678 重庆分公司/023 - 67453036
上海分公司/021 - 62071639/1636 深圳分公司/0755 - 83072995

书号:ISBN 978 - 7 - 5118 - 2272 - 7 **定价:**46.00 元

总　　序

人类文明的历史上，还没有哪一个时代像中国的改革开放40年一样，在历史长河中掀起如此巨大的浪花——它不仅深刻改变了一个国家的面貌与精神气质、使数亿人摆脱贫困，还极大地改变了世界格局。

1978，在那一年的年底，中共中央一次全体会议——十一届三中全会扭转了中国的前进方向，开辟了一个时代。回首过去，我们发现，一些观念从那时开始在中国出现，一些声音从那时开始逐渐响起，一些人物开始登上历史舞台。从这一年开始，随着“加强社会主义民主，健全社会主义法制”历史性任务的提出，“法制”两个字进入了人们的视野；政法机关开始恢复重建；法律院系开始蓬勃发展。一部部法律从庙堂走进了人们的生活，一次次裁决推动着国家前进的脚步。从“有法可依、有法必依、执法必严、违法必究”到“科学立法、严格执法、公正司法、全民守法”；从“法制”到“法治”；从法治观念的形成到“依法治国，建设社会主义法治国家”写进宪法，再到“法治国家、法治政府、法治社会一体建设”，人们对法治的认识步步深入，中国的改革不断向前推进，结出丰硕的果实。在中国共产党的带领下，这个励精图治的古老国度，再一次创造了改革的奇迹。

40年发生了无数故事,40年产生了许多事物。为了纪念这难忘的40年,本社组织编辑出版了一批"纪念改革开放40周年"主题图书。这些图书,将40年来颁布的重要法律及其释义甄选汇集,将法学领域有代表性的学术论文萃取精编,把有关政法机关的重建、法律院系的重生与发展进行展现,将一批被时代改变命运的人物再次唤起。我们希望从法律与法律人的视角,重新审视过去的40年,认真体会这不平凡的40年。

如江河东下,逝者如斯。岁月总会过去,人事总有代谢,但一个不平凡的时代留下的深刻痕迹,永远不会磨灭。"不忘初心,牢记使命",习近平总书记在党的十九大报告中向全党发出的号召,使我们有理由期待,下一个40年,中国将更加惊艳!

法律出版社编辑委员会

2018年10月

出 版 前 言

《中华人民共和国法律释义丛书》是由全国人大常委会法制工作委员会组织编辑的一套系列丛书。

该套丛书由一系列法律释义组成。邀请有关专家、学者和部分参与立法的同志编著。该丛书坚持以准确地反映立法宗旨和法律条款内容为最基本要求,在每部法律释义中努力做到观点的权威性和内容解释的准确性。

我们相信,该套丛书的陆续出版,将会给广大读者进一步学好法律提供有益的帮助。

重 印 说 明

本次重印，是为改革开放40周年制作的特别纪念版，为了保持内容原貌，未对正文和附录作实质修改。个别法条内容有修订或修正的，以脚注形式作了标注。特此说明。

2018年10月

目　录

第一部分　释　义

第二部分　附　录

第一部分 释 义

第一章 总 则

第一条 为了规范行政强制的设定和实施，保障和监督行政机关依法履行职责，维护公共利益和社会秩序，保护公民、法人和其他组织的合法权益，根据宪法，制定本法。

【释义】 本条是关于立法目的规定。

行政强制法是行政法领域中的一部重要法律，与行政处罚法、行政许可法并称为行政程序立法“三部曲”。行政强制涉及的主要是“官民”关系，在构建社会主义和谐社会中，官民和谐是社会和谐的重要组成部分，只有官民和谐了，才能保障和促进社会和谐。在实践中，行政强制既存在“乱”和“滥”的问题，也存在“软”的问题。“乱”施和“滥”施行政强制侵害了老百姓的合法权益，难以建立和谐的官民关系，不利于构建和谐社会。“软”使正常社会秩序得不到维护，妨碍多数人的生活和工作，最终损害公共利益，对“官民”关系造成不利影响，也不利于构建和谐社会。行政强制法围绕行政权和当事人权利这一基本关系，将立法目的定位于规范、保障、监督行政强制权以及保护当事人权益，通过平衡公共利益和个人权益，使行政强制权能在法制轨道上平稳运行，解决“乱”、“滥”和“软”的问题，促进“官民”和谐、社会和谐。在立法过程中，有人对行政强制法的立法时机提出不同意见，认为制定行政强制法是确认和进一步加强行政强制权，将使已经失衡的“官民”关系更加偏向于行政机关，不符合构建和谐社会的要求。这是一种误解。法律追求公平、公正，是一门平衡各利益主体权利义务的艺术。行政强制法立足于兼顾公共利益和个人合法权益，并明确了相应的多重立法目的。首要立法目的是规范和监督行政强制权，同时监督与保障并重，从而保护公民、法人和其他组织的合法权益，维护公共利益和社会秩序。

一、规范行政强制的设定和实施

职权法定是依法行政中的基本内容，行政机关的权限来源于法律规定，法律未规定的权力行政机关不得实施。行政权不是自然产生的，行政权也不得自授。要规范行政强制，首先要规范行政强制的设定权，即明确哪个国家机关以哪种形式赋予行政机关行政强制权。实践中，行政强制设定“乱”的问题较为突出，主要表现为：一是设定主体过多。除了法律、法规外，规章及其他规范性文件也在设定行政强制。二是设定权限太乱。由于除立法法规定限制人身自由以及商业银行法规定冻结存款只能由法律规定外，法规、规章及其他规范性文件有关行政强制权的设定权限没有统一规则，因此各类立法和规范性文件设定的随意性很大。三是设定的行政强制名称太多。根据学者统计，法律、行政法规、规章中行政强制的名称有260多种。同样的行政强制措施名称却有多样，如与扣押相近的有强制扣押、暂时扣押、暂扣、扣留、暂时扣留、暂予扣留等。因此，行政强制法将规范行政强制的设定作为立法目的和主要任务，设专章规定行政强制的设定。这也是行政强制立法过程中讨论的热点和难点问题。

实践中，行政强制实施"滥"的问题也较为突出，主要表现为：一是实施主体太多。有权实施行政强制的机关多。有些行政机关将行政强制委托给一些单位，有的甚至是企业实施。在具体执法时，有的由行政机关临时聘用的人员实施行政强制，低素质执法队伍极易导致权力的滥用。二是对行政强制概念的理解乱。由于行政强制没有统一定义，有的行政机关为了规避行政处罚法的程序规定，避免败诉，倾向于将一些行政处罚理解为行政强制。三是实施程序缺乏统一规定，具体程序五花八门，也存在过分倚重强制而忽视教育、说理和社会效果的情形。四是滥用行政强制，还体现在以行政强制为手段，来实现其他管理目的。有的行政机关依法采取行政强制，其不是为了实现法定目的，而是为了实现其他行政管理目的。行政强制法将解决行政强制实施"滥"也作为主要任务，将规范行政强制实施作为立法目的，对行政强制的定义、方式和种类，实施主体，实施程序以及实施应遵循的原则作了较为明确的规定。

二、保障和监督行政机关依法履行职责，维护公共利益和社会秩序

实践中，也存在行政强制实施“软”的问题，主要表现为行政决定不落实及执行难的问题。有的行政机关怕事不作为，对违法行为长期姑息，没有及时依法实施行政强制权，制止和纠正违法行为，造成了不好的社会影响。有的是行政机关申请法院执行，存在执行率不高、执行程序不规范、执行期限过长、缴纳高额执行费等情形。为此，行政强制法将保障和监督行政机关依法履行职责作为立法目的，兼顾保障和监督。

行政权是国家权力的重要组成部分，尽管行政权有容易被滥用的特点，但其是维护公共利益和社会秩序的主要力量。为了充分发挥行政权的有利一面，应当将行政权纳入法制轨道，并授予行政机关必要的行政权力，依法保障行政机关履行职责。行政强制法通过以下方面来保障行政机关依法履行职责：一是明确了行政机关可以依法实施行政强制权。有关行政强制措施和行政强制执行体制的规定，与我国行政机关所承担的繁重任务相匹配，确认了行政机关可以依照法律、行政法规、地方性法规的规定，享有相应的行政强制措施权和行政强制执行权。二是通过规范设定权保留了行政法规中已经规定的绝大多数行政强制权，地方性法规中有关查封、扣押的规定继续合法有效。将实际行政执法中必要的、合法的行政强制权保留下来，同时将不规范的行政强制权予以清理，有破有立，有效保障行政机关依法履行职责。三是针对目前行政强制程序普遍缺失的现状，强化程序规定，使行政强制权更加合

理、合法。同时,根据实际行政执法情况,规定了简易程序,来保障行政机关在紧急情况下,也有能力履行好职责。四是规范行政机关申请法院强制执行程序,理顺关系,提高效率,做好衔接。行政强制法设专章规定了申请人民法院强制执行,明确了行政机关自期限届满之日起三个月内申请法院强制执行,同时明确了法院受理申请、作出执行裁定的期限等。另外,还规定了立即执行的情形。

监督行政机关依法履行职责是行政强制法的重要立法目的。现代行政法理论中,监督、约束行政权是行政法的重要任务。行政强制法主要从以下四个方面来实现监督目的:一是着力于明确行政强制权的界限,对行政强制的定义、种类、设定和实施作了统一规范,特别是明确了法律、法规以外的规范性文件不得设定行政强制。划清行政强制权的界限,为依法开展监督工作提供了尺度和标准。二是明确了实施行政强制权时的禁止性规定,加大了监督力度。行政机关及其工作人员不得利用行政强制权为单位或者个人谋取利益。行政机关不得在夜间或者法定节假日实施行政强制执行。行政机关不得对居民生活采取停止供水、供电、供热、供燃气等方式迫使当事人履行相关行政决定。三是对违法实施行政强制的行为规定了法律责任。行政强制法在法律责任一章中对没有法律依据、改变行政强制对象、条件、方式以及违反法定程序等违法行为规定了责令改正、处分及赔偿等法律责任。四是规定了救济途径。公民、法人和其他组织对行政机关实施行政强制,有权依法申请行政复议或者提起行政诉讼,因行政机关违法实施行政强制受到损害的，有权依法要求赔偿。

维护公共利益和社会秩序既是包括行政强制权在内所有行政权的正当性和实施目的所在，也是以行政强制权为规范对象的本法的立法目的。行政权作为必要的公权力，其起点和终点只能是公共利益，不能有自身利益。行政强制作为一类典型的行政权，其出发点是维持正常的行政秩序，保证行政决定内容的实现，体现对公共利益的维护。行政强制领域中的乱作为和不作为都违背了设置行政权的初衷，是对公共利益的损害。本法通过保障和监督行政机关依法履行职责，来实现维护公共利益和社会秩序。

三、保护公民、法人和其他组织的合法权益

对广大人民群众而言，行政强制权的行使，打击了行政违法行为，维护了公共利益，也从根本上保护了广大人民群众的利益。这时，公共利益和个人权益是一致的，依法实施行政强制权，也有利于保护公民、法人和其他组织的合法权益。但是，行政强制涉及对当事人的人身权、财产权的限制和剥夺，违法行使会侵害当事人的合法权益。因此，要从程序上保护当事人的合法权益，实施错误的要赔偿。

在对违法者实施行政强制时，也有保护当事人合法权益的问题。行政机关既不能对违法行为视而不见，放纵违法行为，也不能对违法行为任意实施行政强制。为了实现官民和谐、社会和谐这一根本目的，行政强制法主要从以下几个角度作了规定：一是规范行政强制的方式和实施主体，使行政强制权师出有名、名正言顺。二是要求谨慎行使行政强制权，遵循最小侵害、强制与教育相结合等原则，做到有度、有节。情节显著轻微、没有明显社会危害的可以不采取行政强制措施；中止执行满三年未恢复执行的，不再强制执行。三是从程序规则入手，做到说理充分、执法规范文明，保护当事人知情权等程序权利，约束行政机关的自由裁量权。

第二条　本法所称行政强制，包括行政强制措施和行政强制执行。

行政强制措施，是指行政机关在行政管理过程中，为制止违法行为、防止证据损毁、避免危害发生、控制危险扩大等情形，依法对公民的人身自由实施暂时性限制，或者对公民、法人或者其他组织的财物实施暂时性控制的行为。

行政强制执行，是指行政机关或者行政机关申请人民法院，对不履行行政决定的公民、法人或者其他组织，依法强制履行义务的行为。

【释义】　本条是关于行政强制定义的规定。

在本法制定前，行政强制不是法律概念，社会对行政强制的认识也不一致。本条明确了行政强制的范围，对行政强制措施和行政强制执行下了定义，有利于统一认识，也明确了本法的规范对象。

一、关于行政强制

受国外行政法理论的影响，我国早期的理论认为行政强制就是行政强制执行。1989 年我国行政诉讼法出台，规定了行政强制措施和行政强制执行两个概念，这样行政强制包括行政强制措施和行政强制执行的观点逐步占了主流。本法将行政强制定位于行政强制措施和行政强制执行的上位概念，主要考虑到在我国行政强制措施和行政强制执行已经是法律概念，行政诉讼法中第十一条第（二）项规定了对限制人身自由或者对财产的查封、扣押、冻结等行政强制措施，第六十六条规定了行政强制执行。尽管行政强制措施是我国所特有，在一定程度上偏于强调行政管理效率，但已经成为行政管理的重要手段，在社会转轨和行政体制改革需逐步推进的背景下，加强规范是方向，尚难一律取消。同时，从理论上看，行政强制措施和行政强制执行之间虽存在不同之处，但都具有行政性、服从性、物理性和依附性的特点，有较强的共性，使两者有必要归纳为一类行政行为。

在本法制定之前，由于缺乏行政强制的统一法律规定，加上行政执法中为了规避行政处罚法对行政处罚的规范，将一些负担性行政行为解释为行政强制，使得社会对行政强制认识并不一致。本条将行政强制确定为一个法律概念，明确了行政强制包括行政强制措施和行政强制执行，行政强制的以下特点有利于将行政强制与其他具体行政行为相区分。行政强制具有以下四个特点：（1）行政性，行政强制是发生在行政管理领域中，为了实现行政管理目的，主要由行政机关依照行政程序作出的行政行为。值得一提的是，申请法院强制执行中执行机关是人民法院，理论上行使的是司法权，但考虑到我国行政强制执行体制的现状，可将其理解为行政权的延伸，将一并纳入本法规范。行政性特点可以将行政强制与刑事强制及诉讼强制区分开。(2)服从性,即行政强制是典型的行政机关单方行为,当事人必须服从决定,没有自由选择的余地。服从性特点可以将行政强制与行政合同、行政指导、行政许可、行政给付等非强制性具体行政行为区分开。(3)物理性,即行政强制是直接作用于当事人人身、财产等权利,具有限制人身和改变财产物理状态效果的具体行政行为。其是发生可见动作的有形行为,而不是无形行为;不仅是意思行为,还是实力行为。物理性特点可以将行政强制与行政处罚、责令停止建设等行政命令相区分。(4)依附性,即行政强制尽管作为一类独立的具体行政行为存在,但依附性仍是其特点,行政强制本身不是目的,不能为了强制而强制,行政强制总是为其他行政行为的作出或者实现而服务的。

行政强制措施与行政强制执行的不同在于:(1)行政强制措施是在行政决定作出前行政机关所采取的强制手段。如行政执法人员在执法过程中发现违法行为,可以将违法行为涉及的财物进行查封、扣押,行政机关实施查封、扣押要交付查封、扣押决定书。这时向当事人交付查封、扣押决定书主要是为了证明查封、扣押事实的存在,行政机关还需要根据情况作出处罚决定或者处理决定。一般情况下,查封、扣押发生在行政机关作出处罚决定或者处理决定之前。而行政强制执行是在行政决定作出后,为了执行该行政决定所采取的强制手段,如对违法行为人处以罚款,当事人逾期拒不缴纳罚款,行政机关或者人民法院就可以依法从该违法行为人的银行账户上划拨相应的款项。(2)行政强制措施都是暂时性的,查封、扣押的期限不得超过三十日;情况复杂的,经行政机关负责人批准,可以延长三十日,法律、行政法规对期限另有规定的除外。而行政强制执行是终局性的,如执行罚款,将从当事人那里执行的罚款上缴国库,即执行终结,除非行政决定被撤销或者执行错误,该罚款不会回转。

另外,实践中关于行政强制还有两个争论:一是认为行政强制措施是行政强制执行和即时强制的上位概念,立论依据是认为行政强制措施是行政主体在行政执法过程中运用的具有强制性的各种手段和方法,进而分为"执行性"措施(行政强制执行)和"管理性"措施(即时强制)。该观点改变了行政诉讼法中行政强制措施的含义和定位,主要是为了与国外通行做法相一致,将行政强制限于强制执行和即时强制,废除行政诉讼法及其他单行法中我国特有的行政强制措施,属于重大调整。该观点看到了现有行政强制措施大大扩大了行政权的现状,对规范和约束行政权有积极意义,但显然与行政诉讼法及执法实践不一致。另外,仅从物理性特点界定行政强制措施失于片面,也不能涵括执行罚和代履行。因此,在行政强制法制定过程中,并没有采纳该观点。

二是即时强制的归类。尽管学界对即时强制的观点很不一致,但有两点共识:具有行政强制的特点,特别是有物理性特点,应当属于行政强制;情况紧迫性要求当场采取,有关程序可以事后补办或者简化。鉴于我国即时强制的争论较大,同时还有行政强制措施概念,因此行政强制法中并没有出现即时强制概念。考虑到即时强制既可能发生在行政强制执行领域中，如为防止火灾蔓延对房屋的立即强制拆除，此时行政决定与执行合二为一，无暇催告当事人自动履行；也可能发生在行政强制措施领域中，如警察发现"武疯子"伤人在即，将其直接扑倒控制，此时没有时间作出行政决定和履行批准程序，直接实施限制人身自由的强制措施。因此，考虑到即时强制的紧迫性特点，本法将即时强制的内容分散规定，分别在第十九条和第五十条规定了紧急强制措施和立即代履行。

二、关于行政强制措施

可以从以下几个方面理解行政强制措施：（1）行政强制措施是一类具体行政行为，不能理解为物理意义上的手段和方法。（2）行政强制措施是一类暂时性控制措施，不是对当事人人身、财产权利的最终处分。暂时性控制是行政强制措施依附性特点的体现，行政强制措施并不是对当事人人身、财产权利的剥夺，而只是暂时限制。如没收是对当事人财产权利的剥夺，但查封、扣押并不改变财产的所有权。剥夺和限制有时难以区分，如限制人身自由，剥夺也是限制，限制也是剥夺，这时要界定行政强制措施概念，应当从时间入手，行政强制措施限制人身、财产权利的时间相对要短得多，这也体现了暂时性的特点。这个特点在立法时也得到了遵循，规定行政强制措施的期限不能太长。（3）行政强制措施是为了便于行政决定的作出或者行政目的的实现，不能作为制裁手段。制止违法行为、防止证据损毁、避免危害发生、控制危险扩大是实施行政强制措施的前提。由此可以看出，行政强制措施要么是为维护行政秩序，将"场面控制住"，对违法行为予以当场制止，避免危害发生和控制危险扩大，此时行政强制措施作为物理性措施并没有制裁性；要么是为了防止证据毁损，对证据采取保全措施，以便之后作出行政决定。在实践中，要防止两种倾向：一是将行政强制措施作为逼迫当事人履行罚款等行政决定的手段，这与行政强制措施的特点不符。根据法律规定，行政机关有行政强制执行权的，可以依法采取强制执行手段，包括迫使当事人履行义务的一些行政强制措施。二是行政强制措施没有制裁性体现为期限较短，行政机关不能久扣、久封不决，将行政强制措施当成行政处罚。

另外，需要指出的是，制止违法行为、防止证据损毁、避免危害发生、控制危险扩大四类情形主要是为揭示行政强制措施的特点，也为设定行政强制措施提供指引，而不是普遍授权，不能作为实施的直接依据，且不能直接依据本条规定而实施行政强制措施。行政机关实施行政强制措施，必须根据本法有关设定权的规定有单行法依据。

三、关于行政强制执行

关于行政强制执行认识较为一致，理解行政强制执行可以有以下几点：（1）行政强制执行的前提是存在一个生效的行政决定，是执行行政决定的行为，目的是保障行政决定内容得到实现。（2）行政强制执行的效果是对当事人人身、财产权利的剥夺，但这种处分来自于作为执行基础的原行政决定，而不是来源于行政强制执行。（3）我国行政强制执行包括两种形式：行政机关自行强制执行和申请人民法院强制执行。其中申请人民法院强制执行主要由法院来执行，但并不妨碍在行政强制法中将其归入广义的行政强制执行概念中，适用行政强制执行的基本原则，以及规定具体申请和受理程序，至于如何执行则适用行政诉讼法、民事诉讼法中有关强制执行的规定。（4）行政强制执行的具体方式包括三类：执行罚、代履行和直接强制执行。

第三条 行政强制的设定和实施，适用本法。

发生或者即将发生自然灾害、事故灾难、公共卫生事件或者社会安全事件等突发事件，行政机关采取应急措施或者临时措施，依照有关法律、行政法规的规定执行。

行政机关采取金融业审慎监管措施、进出境货物强制性技术监控措施，依照有关法律、行政法规的规定执行。

【释义】 本条是适用范围的规定。

法律的适用范围是指法律适用的效力范围，包括空间范围、时间范围、对象范围和行为范围。由于空间范围、时间范围、对象范围具有一定普遍性，通常适用于本国境内、从实施之日起至失效之日止的本国机关单位、企业和公民，因此一般法律中都不加以规定，只有在需要作出特别规定时才规定。行为范围包括行为主体和特定行为，每一部法律所规范的行为范围都不相同，因此一般法律都会在总则中将其所规范的行为范围作为适用范围加以规定。

一、行政强制的设定和实施

行政强制法以行政强制权作为规范对象，应当对行政强制权的设定、决定、实施、监督、救济等诸环节加以规范。考虑到决定实施行政强制权需要考虑各种实际情况，各领域情况也不同，以单行法作出规定为宜；我国有关行政权的法律监督和救济机制较为全面，也有相应专门法律，行政强制法做好法律之间衔接规定即可。同时，设定是源头，是制定规则、赋予行政强制权的环节，实施是具体执行，使法律规定落到实处，这两个环节非常重要，应当由行政强制法作出统一规范。因此，行政强制法将行政强制的设定和实施作为规范重点和抓手，明确了法律、行政法规、地方性法规各自的设定权，加强了行政强制实施程序制度建设，规范了实施主体和强制方式。

在立法中，设定不同于规定，设定是创设新的规范，规定是对创设的规范进行具体化。法律可以设定各种行政强制，一般来说，法律中规定行政强制属于设定。在没有上位法或者有上位法但没有规定行政强制，行政法规和地方性法规规定相应的行政强制是设定；如果上位法设定了行政强制，在规定的对象、条件、种类范围内，行政法规和地方性法规作了具体规定，则属于规定。本法并没有对规定权限作出限制。但是，规定必须符合保证国家法制统一原则，不得超越上位法的规定。本法对设定权作出了明确规定，主要是规范设定权，加强源头控制，解决设定乱的问题。因此，设定权是有关行政强制立法权的分配问题，也就是哪一级国家机关，哪一类性质的国家机关有设定行政强制的权力。有关设定权是本法立法重点。

针对单行法中有关行政强制程序规定少、不统一、不规范的问题，本法从程序公正、规范执法、保护当事人的程序权利角度出发，对行政强制措施和行政强制执行的实施程序作了规定。通过健全和完善行政强制实施程序，从观念上尊重当事人的主体地位，从权利上保护当事人的知情权、陈述权、申辩权，从形象上促进行政机关树立依法行政、公正、公平形象，从执法上防止行政机关暗箱执法、恣意行政，从效果上增强行政执法行为的权威性和公信力，以期得到社会理解和支持，最终目的是通过依法、有理、有节实施行政强制权，维护法律的尊严，保护最广大群众的利益，促进社会长治久安。

二、本法与其他单行法的关系

本法确定适用范围的方法是概括纳入加列举排除，以尽可能地扩大适用范围。有关符合本条规定，属于行政强制措施和行政强制执行的设定和实施，原则上都应当适用本法的规定。这确定了本法与其他法律的关系，本法作为新法、基本法，原则上是优先适用。考虑到一些实际情况，有些行政法规也设定了行政强制，且是必要的，有的根据部门实际情况规定了具体程序，因此本法还规定了例外情形，即有些情况下，其他法律、行政法规有规定的，从其规定；没有规定的，依照行政强制法执行。这些例外情形有：本条第二款、第三款规定的应急措施或者临时措施、金融业审慎监管措施、进出境货物强制性技术监控措施；第二十条有关限制人身自由强制措施程序；第二十五条规定的查封、扣押期限，第三十二条规定的冻结期限；除上述情形外，凡超越本法有关行政强制设定权的设定行为，都归于无效；与本法规定的程序不一致的，适用本法。

三、有关应急措施、临时措施、金融业审慎监管措施和进出境货物强制性技术监控措施

根据本条第二款、第三款规定，有关突发事件中应急措施、临时措施以及金融业审慎监管措施和进出境货物强制性技术监控措施的设定和实施程序主要适用其他法律、行政法规的规定。换言之，有关突发事件中应急措施、临时措施以及金融业审慎监管措施和进出境货物强制性技术监控措施不适用行政强制法有关实施程序的规定。但仍应遵循维护法制统一、合法合理等原则以及实施主体资格、告知和陈述申辩等一些基本程序权利等规定。

本条所规定的应急措施、临时措施，是指在突发事件中依法采取的性质属于行政强制措施的应急处置措施。突发事件是指突发事件应对法中所称的突发事件，包括自然灾害、事故灾害、公共卫生事件和社会安全事件，是一种涉及人数多、社会关注度高、社会危害严重、影响大的阶段性公共危机，需要公权力的介入和动用社会人力、物力才能解决。除了突发事件应对法外，还有多部法律、行政法规规定了突发事件中可采取的应急措施和临时措施。需要指出的是，不能对应急措施、临时措施作扩大理解，必须是在宣布为突发事件后采取的应急措施或者临时措施。在上述法律、行政法规中规定的其他行政强制措施的设定和实施应当适用行政强制法的规定。

根据银行业监督管理法、证券法、保险法等规定，在金融机构违反审慎经营规则，行为严重危及该金融机构的稳健运行，损害客户合法权益时，金融业监督管理机构可依法采取限

制分红、限制资产转让、限制股东转让股权、阻止直接责任人员出境和禁止其处分财产权利等审慎监管措施，这些措施性质上属于行政强制措施。本条所规定的进出境货物强制性技术监控措施，是指进出口商品检验部门按照国家技术规范的强制性要求或者参照国外有关标准开展的进出口商品检验工作。有关法律、行政法规还有海关法、食品安全法、畜牧法、国境卫生检疫法等。

在突发事件中和金融业审慎监管、进出境货物监管中排除本法优先适用，主要考虑有关突发事件和金融业审慎监管、货物强制性技术监控措施的情况特殊。突发事件是一种特殊的社会状态，具有阶段性的特点，在发生突发事件的情况下，公共利益处于突出地位，行政机关依法采取应急处置措施不同于一般的行政执法，需要体现快速、有效、有力的特点。金融业关系国家金融秩序和群众的切身利益，有着特殊的运行规律和管理规则，为保证金融机构稳健运行，需要展开审慎监管。进出境货物强制性技术监控关系到重大公共利益，也需要特殊规定。另外，在上述领域中法律规定已经较为齐备，排除适用并不会导致滥用权力。

第四条　行政强制的设定和实施，应当依照法定的权限、范围、条件和程序。

【释义】　本条是关于行政强制合法性原则的规定。

权力法定是一项宪法原则，任何公权力都须有法律授权。合法性是行政权的正当性所在，也是对行政权的最基本要求。

行政强制作为一项重要的行政权力，其设定和实施都必须遵循合法性原则，做到依法行政。行政强制领域中合法性原则体现为行政强制的设定和实施应当依照法定的权限、范围、条件和程序。

一、按照法定的权限、范围、条件和程序设定行政强制

（1）按照法定的权限设定行政强制。首先，有权设定行政强制的只有法律、行政法规和地方性法规，规章和其他规范性文件都没有设定行政强制的权限。从机关看，只有全国人大及其常委会、国务院和有立法权的地方人大及其常委会才有设定行政强制的权限。其次，有权设定行政强制的机关，应当按照立法法、商业银行法、邮政法和本法的规定设定行政强制。根据立法法的规定，限制公民人身自由只能由法律设定。根据商业银行法的规定，冻结存款只能由法律设定。根据邮政法的规定，扣留（冻结）邮政汇款只能由法律设定。本法第十条、第十一条规定了有关行政强制措施的设定权，第十三条规定了行政强制执行的设定权。因此，法律、行政法规和地方性法规的设定权限不同。具体而言，法律有权设定所有行政强制；行政法规有权设定除限制公民人身自由和冻结存款、汇款和其他应当由法律设定的行政强制措施以外的其他行政强制措施；地方性法规有权设定查封、扣押措施。再次，法律对行政强制措施的对象、条件、种类作了规定的，行政法规、地方性法规不得作出扩大规定。法律中未设定行政强制措施的，行政法规、地方性法规不得设定行政强制措施。最后，没有行政强制设定权的机关和组织，一律不得设定行政强制。规章

及其他规范性文件都不得设定行政强制。(2)按照法定的条件设定行政强制。行政管理事务复杂,需采取行政强制措施的条件各不相同,本法不可能一一列举,但抽象出了一般条件和原则作为指引,如本法第二条中设定行政强制措施一般应符合制止违法行为、防止证据损毁、避免危害发生、控制危险扩大的条件。同时也应当遵循必要性和合理性原则,本法第五条规定,采用非强制手段可以达到行政管理目的的,不得设定行政强制。实践中,有些为了实现行政处罚而设定行政强制措施,这是值得讨论的,行政处罚的实现应当由行政强制执行制度解决。依法作出的行政决定应当得到执行,因此行政强制执行的设定没有条件限制。至于行政强制执行中如何划清行政机关自行强制执行和申请法院强制执行,按照本法的规定除了法律规定行政机关直接强制执行外,其余的申请法院执行。(3)按照法定的程序设定行政强制。设定行政强制是一种立法行为,按照法定程序设定行政强制,就是按照有关法律、行政法规和地方性法规的立法程序设定。对设定行政强制,本法还专门规定了有关起草程序。本法第十四条规定,起草法律草案、法规草案,拟设定行政强制的,起草单位应当采取听证会、论证会等形式听取意见,并向制定机关说明设定该行政强制的必要性、可能产生的影响以及听取和采纳意见的情况。

二、按照法定的权限、范围、条件和程序实施行政强制

行政强制措施的权限、范围和条件主要由各个单行法律、法规规定,行政强制措施的程序主要由本法规定。行政强制

执行的权限、条件和程序主要由本法规定，此外，也有一些其他法律规定了行政强制执行的权限、条件和程序。(1)按照法定的权限实施行政强制。原则上，有权实施行政强制的只有行政机关，但并不是所有的行政机关都可以实施行政强制，必须是对社会事务实施管理、承担行政管理职能、依照法律法规授权具有行政强制权的行政机关。同时，依法具有行政强制权的行政机关只能在法定职权范围内实施，不得超越本机关的职权范围，也不得实施其他行政机关的行政强制权。考虑到执法实践需求，本法第七十条规定，法律、行政法规授权的具有管理公共事务职能的组织在法定授权范围内，以自己的名义实施行政强制措施。在代履行中，行政机关委托的第三人并不是实施行政强制，而是代替当事人履行义务。(2)按照法定的条件实施行政强制。由于行政管理多样、复杂，因此难以归纳出所有行政管理领域中都适用的实施条件，只能给设定和实施行政强制给出一定指引，即制止违法行为、防止证据损毁、避免危害发生、控制危险扩大，具体实施条件留给单行法作出规定。行政机关实施行政强制应当按照法定条件，不得随意实施。(3)按照法定的程序实施行政强制。法定程序既包括本法规定的一般程序，也包括有关单行法中规定的程序。适用规则是程序从新，本法有规定的依照本法，但本法作出特别规定的除外。如果本法没有规定，单行法有规定的，依照单行法执行时适用。本法第三章、第四章较为详尽地规定了行政强制措施和行政强制执行的实施程序，这些规定行政机关在实施时都应当严格遵守。

第五条　行政强制的设定和实施，应当适当。采用非强制手段可以达到行政管理目的的，不得设定和实施行政强制。

【释义】　本条是关于行政强制适当原则的规定。

行政权的行使既要合法，也要合理、适当。适当原则也称为合理性原则，是在合法性基础上的对行政机关的更高要求，目的是防止自由裁量走向恣意。合理行政已经成为共识，国务院《全面推进依法行政实施纲要》中就规定：合理行政是依法行政的基本要求，行政机关行使自由裁量权应当符合法律目的，排除不相关因素的干扰；所采取的措施和手段应当必要、适当；行政机关实施行政管理可以采用多种方式实现行政目的的，应当避免采用损害当事人权益的方式。本条明确行政强制的设定和实施都应当适当、合理，要符合比例原则。

一、设定行政强制应当适当

这是对法律、法规的立法机关提出的要求，要求设定行政强制时，应当保持谨慎的态度，在维护公共秩序和保护公民权利之间掌握平衡，既不能规定过多强制，将强制当作包治良药，也不能因噎废食，忽视了强制的作用，对行政管理实际需求视而不见。依法具有行政强制设定权的立法机关，应当根据要达到的行政目的和具体情况，在是否设定行政强制、设定什么样的行政强制、什么情况和条件下设定行政强制等问题上遵循适当原则，发挥立法智慧，作出合理判断。本条还进一步明确，采用非强制手段可以达到行政管理目的的，不得设定行政强制。本法第十四条有关起草单位拟设定行政强制，必须采取听证会等正式形式听取意见，并说明设定的必要性、可能产生的影响以及听取和采纳意见情况。本条规定与第十四条规定的立法精神是一致的。

二、实施行政强制应当适当

这是对行政强制的实施机关提出的要求，要求在行政管理过程中，在选择执法方式和执法时机时，应当根据实际情况全面考虑，对行政强制应当持慎重态度，不得动辄采取行政强制。具体而言：(1)情节轻微的，能不实施就不实施。本法第十六条规定，违法行为情节显著轻微或者没有明显社会危害的，可以不采取行政强制措施。第三十九条规定，对没有明显社会危害，当事人确无能力履行，中止执行满三年未恢复执行的，行政机关不再执行。同时，本条第二款规定当事人不依法履行行政决定时，应当优先使用非强制手段迫使当事人自动履行。(2)查封、扣押、冻结的财物价值应当适当。本法第二十三条规定，查封、扣押限于涉案的场所、设施或者财物，不得查封、扣押与违法行为无关的场所、设施或者财物；不得查封、扣押公民个人及其所扶养家属的生活必需品。第二十九条规定，冻结存款、汇款的数额应当与违法行为涉及的金额相当。(3)行政机关在依法强制执行时，所选择的强制手段应当适当。首先应当优先使用间接强制手段，包括代履行和执行罚。在代履行和执行罚无法实现行政目的时，才适用直接强制执行。在实施直接强制执行时，也应当遵循适当原则，选择适当的强制手段。本法并没有对直接强制执行的手段作出统一规定，在多种强制手段都可以实现行政目的的情况下，行政机关应当选择对当事人损害最小的方式。

三、对适当原则的具体理解

适当原则是行政法领域中的一项普遍原则，在行政强制领域中，也称比例原则。所谓比例原则，是指行政机关在可以采用多种方式实现某一行政目的的情况下，应当采用对当事人权益损害最小的方式，这样做才是适当和合理的。根据比例原则，在强制手段和非强制手段都能达到行政管理目的时，应当采用非强制手段，不得采用强制手段；在实施强制手段时，在达到行政目的的前提下，应当采用对当事人损害最小的措施。

第六条　实施行政强制，应当坚持教育与强制相结合。

【释义】　本条是关于教育与强制相结合原则的规定。

法律的功能有规范、引导及惩罚。引导与惩罚是法律中最常用，也是较有效的两项手段。这两项手段看似一文一武，截然不同，但在法律范畴中，在将法律规定转化为人们行为规范的目标下，两者却是相互促进、高度统一的。法律是让人们遵守，而不是让人们违反的，因此惩罚不是目的，教育和引导守法才是目的。倡导性规定从社会发展和良好秩序角度循循诱导，劝人为善，这样法律规定才能深入人心。而惩罚性规定从承担不利后果角度，迫使当事人遵纪守法，惩罚机制通过威慑力和切身之痛使法律规定发挥作用，起到教育违法者和他人的目的。明确的不利法律后果，其劝导作用是无法取代的。虽然不同法律有所侧重，但几乎没有一部法律只采用劝导或者惩罚一项手段。行政强制法的规范对象是行政强制，强调劝导、教育不仅符合立法规律，而且是必要的。只有将强制与教育相结合、结合好，才能使人民群众认同、接受、自觉遵守行政强制法的规定，才能使强制有权威、起实效，才能促进社会和谐而不是破坏和谐氛围。

行政强制是一类负担性行政行为，实施的对象是公民、法人和其他组织的人身、财产等权利，实施的结果是对人身、财产等权利的限制和剥夺，因此不仅不能滥用、违法实施行政强制，还应当从构建和谐社会的高度，强调少用、慎用、善用、用好行政强制，绝不能形成无强制不行政、无强制不管理的思维定式。行政强制不是目的，通过必要的行政强制纠正违法行为，教育违法者和其他公民自觉守法，形成人人守法，个个自觉维护社会秩序和行政秩序的良好社会习惯才是目的。因此，实施行政强制不能片面强调行政强制，而应当坚持教育与强制相结合。对此，应当注意几点：一是坚持教育与强制，首先要广泛宣传教育，使广大人民群众了解行政强制法的立法精神和具体规定，这不仅是立法者的义务，也是行政执法者的义务。二是教育与强制相结合，应发挥教育的作用。在行政管理过程中，把行政强制更多地作为一项威慑武器、备用手段。将教育与强制相结合，首选教育，经教育能达到行政管理目的的，不再实施强制，只有经教育仍无效果或者情况紧急的，才付诸于行政强制。三是教育不是自上而下的说教，也不是行政机关的恩赐，而是行政机关的一项法定义务。执法人员应当本着客观、公道之心，摆事实、讲道理，了解情况，从实际出发，兼顾公私利益。四是强制中有教育，教育中有强制。在制作行政强制决定前要催告，实施行政强制时要说理。在催告或者实施前，只要当事人愿意自动履行的，应当立即停止强制执行。同时，教育不能成为恶意逃避惩罚和制裁的漏洞，在催告过程中一旦发现当事人有故意逃避履行行为的，应当立即执行。

教育与强制相结合原则体现在本法很多具体规定中。如违法行为情节显著轻微或者没有明显社会危害，可以不采取行政强制措施。行政机关作出强制执行决定前，应当事先催告当事人履行义务。催告应当以书面形式作出。经催告，当事人履行行政决定的，不再实施强制执行。行政机关申请人民法院强制执行前，应当催告当事人履行义务。

第七条 行政机关及其工作人员不得利用行政强制权为单位或者个人谋取利益。

【释义】 本条是关于不得利用行政强制权谋取利益的规定。

行政机关依法代表国家行使行政强制权，行政经费统一由财政纳入预算予以保障，因此行政机关及法律、行政法规授权的组织不应当有自己的利益。在社会主义市场经济中，行政权处于经济调节、市场监管、社会管理和公共服务的地位，其管理、引导、监督的角色要求不应当参与市场竞争，与民争利。在行政执法过程中，行政权只有处于超脱的地位，才能公正执法，履行法律赋予的职责，一旦有了利益冲动，必然影响依法行政。

实践中,有的行政机关利用行政强制权为单位或者个人谋取利益;有的还围绕行政强制形成利益链,以行政强制权作为谋取小集体或者个人利益的工具;有的擅自使用查封、扣押的财物,收取高额查封、扣押费用等。对此,本法明确规定了不得利用行政强制权谋取利益原则,并体现在很多具体规定中。(1)不得使用被查封、扣押的财产。本法第二十六条规定,对查封、扣押的场所、设施或者财物,行政机关应当妥善保管,不得使用或者损毁;造成损失的,应当承担赔偿责任。(2)不得收取保管费。本法第二十六条规定,因查封、扣押发生的保管费用由行政机关承担。(3)收支两条线。本法第四十九条规定,划拨的存款、汇款以及拍卖和依法处理所得的款项应当上缴国库或者划入财政专户。任何行政机关或者个人不得以任何形式截留、私分或者变相私分。第六十条第四款规定,划拨的存款、汇款以及拍卖和依法处理所得的款项应当上缴国库或者划入财政专户,不得以任何形式截留、私分或者变相私分。(4)合理确定代履行费用。本法第五十一条规定,代履行费用预算应当在实施代履行前告知当事人。代履行费用应当按照成本合理确定。

第八条　公民、法人或者其他组织对行政机关实施行政强制,享有陈述权、申辩权;有权依法申请行政复议或者提起行政诉讼;因行政机关违法实施行政强制受到损害的,有权依法要求赔偿。

公民、法人或者其他组织因人民法院在强制执行中有违法行为或者扩大强制执行范围受到损害的，有权依法要求赔偿。

【释义】　本条是关于公民、法人或者其他组织的程序权利和权利救济的规定。

一切权利都需要有救济途径，否则权利就得不到真正保障，可能只是纸面上的权利。同时，权力需要监督，当事人监督有着不可取代的作用。考虑到当事人监督中个人与行政机关的力量差距悬殊，需要在法律中明确监督渠道（参与行政程序、行政诉讼、行政复议、行政申诉、信访、国家赔偿等）和权利（诉权、行政程序权利等）。行政强制是行政权对公民、法人和其他组织财产权、人身权等权利的限制和剥夺，因此无论从权利保护角度，还是权力监督角度，都应当明确当事人的权利及权利救济。本条主要体现了正当程序原则，明确了当事人的基本程序权利和救济权利。我国目前还没有行政程序法，但正当程序观念已经被广泛接受，在行政处罚、行政许可、行政诉讼等法律中一以贯之，国务院在《全面推进依法行政实施纲要》中明确将程序正当作为依法行政的基本要求，要求严格遵循法定程序，依法保障行政管理相对人、利害关系人的知情权、参与权和救济权。

一、陈述权、申辩权

陈述权、申辩权是一项基本程序权利，其法理依据是：在作出对当事人不利决定前，应当听取当事人的意见。这样做有利于执法人员全面掌握情况，防止偏听偏信，保证行政决定的客观、公正，同时尊重当事人主体地位，树立政府文明执法的形象。陈述权重在陈述，指当事人对行政机关实施行政强制所认定的事实及适用法律是否准确、适当，陈述自己的看法和意见，同时也提出自己的主张和要求。申辩权重在意见交锋，指当事人针对行政机关提出的证据和处理决定，提出不同意见，申述理由、加以辩解。

二、申请行政复议、提起行政诉讼和申请行政赔偿

法律救济是事后监督的重要方式，法律救济权也是当事人一项重要权利。法律救济途径主要有行政复议、行政诉讼和国家赔偿诉讼三种。行政复议法第六条第（二）项和行政诉讼法第十一条第（二）项都明确将“限制人身自由或者对财产的查封、扣押、冻结等行政强制措施”纳入了受案范围，因此当事人对于行政强制措施不服的，可以申请行政复议或者提起行政诉讼。

对于行政强制执行的法律救济有一些争议。首先是对行政强制执行不服的，能否申请行政复议或者提起行政诉讼。对此，行政复议法和行政诉讼法都没有明确规定。有的认为，行政强制执行依附于基础行政决定，本身没有独立性，不应有救济途径。有的则认为，行政强制执行源于基础行政决定，但应当与基础行政决定相分离，实施行政强制执行有一套法定规则，有对其监督的必要，应当有救济途径。考虑到行政复议和行政诉讼的对象是具体行政行为，行政复议法第六条和行政诉讼法第十一条关于适用范围的规定中都有兜底条款“其他具体行政行为”，因此关键是判断行政强制执行是否是具

体行政行为。1991 年最高人民法院在《关于贯彻执行〈中华人民共和国行政诉讼法〉若干问题的意见(试行)》(已废止)中曾对具体行政行为作了界定:具体行政行为是指国家行政机关和行政机关工作人员、法律法规授权的组织、行政机关委托的组织或者个人在行政管理活动中行使行政职权,针对特定的公民、法人或者其他组织,就特定的具体事项,作出的有关该公民、法人或者其他组织权利义务的单方行为。简单地讲,具体行政行为就是行政机关针对特定当事人就特定具体事项作出的单方行为。行政强制执行中行政机关自行执行的,应当符合两个“特定”特点。

其次是怎么救济,是单独就行政强制执行救济,还是与基础行政决定一并救济。这需要具体分析。原则上应当允许当事人分别就基础行政决定和强制执行申请行政复议和提起行政诉讼。当事人对基础行政决定没有异议,只认为行政强制执行违法的,应当单独就行政强制执行提出行政复议或者诉讼;当事人对基础行政决定不服的,可以对基础行政决定和行政强制行为提出行政复议或者诉讼;有的单行法规定,在法定期限内既不申请复议又不提起诉讼的,才可强制执行,这种情况下,由于基础行政决定的救济期限已过,只能就行政强制执行行为寻求救济。

值得一提的是,有的情况下,当事人对基础行政决定不服,提起行政诉讼后,法院维持了行政决定或者驳回了当事人诉讼请求,进入强制执行阶段,当事人又对强制执行决定提起行政诉讼的,法院如何审查。对这个问题行政强制法没有明确规定，实践中也有争议，解决的原则是既不能程序过分烦琐，又不能剥夺当事人救济权利。有的主张对于维持行政决定的，行政机关可以申请强制执行行政判决。对于驳回当事人诉讼请求的，行政机关可以申请法院强制执行行政决定，法院在审查时，应当适当简化，审查集中在强制执行行为本身的合法性。这需要进一步实践，待成熟后进一步完善制度。

本法及有关单行法对行政强制执行的实施主体、实施手段和实施程序作了规定，对行政强制执行进行审查时，可以进行相应合法性审查，如是否有实施行政强制执行权的法定主体资格，该主体资格原则上只能由法律规定；是否在强制执行过程中查封、扣押了与违法行为无关的财产，以及公民个人及其所扶养家属的生活必需品；是否依法催告并制作强制执行决定书等。

对违法行为的救济，除了要求撤销、变更或者确认违法行为外，还有对违法行为所造成损害要求给予国家赔偿。我国国家赔偿法第三条和第四条明确将违法采取限制公民人身自由的行政强制措施和违法对财产采取查封、扣押、冻结等行政强制措施纳入赔偿范围。虽然国家赔偿法对行政机关强制执行作出明确规定，按照前述理由，行政机关强制执行属于具体行政行为，可以归入国家赔偿法第三条和第四条中“其他违法行为”，也应当纳入国家赔偿范围。本法第六十八条规定了国家赔偿的情形。

三、申请司法赔偿

国家赔偿法第三十八条规定，人民法院对判决、裁定及其他生效法律文书执行错误,造成损害的,赔偿请求人要求赔偿的程序,适用本法刑事赔偿程序的规定。该规定中"执行错误"主要指判决、裁定及其他生效法律文书错误,以及在执行中有违法行为。本条明确规定须在强制执行中有违法行为或者扩大强制执行范围的行为。这里有争议的是,对于行政机关申请人民法院强制执行,因基础行政决定违法导致强制执行行为违法的,应当由谁来承担赔偿责任。这里可以借鉴国家赔偿法第八条的规定,经复议机关复议的,最初造成侵权行为的行政机关为赔偿义务机关,但复议机关的复议决定加重损害的,复议机关对加重的部分履行赔偿义务。在申请法院强制执行中,法院裁定执行,且没有变更基础行政决定的,因基础行政决定违法损害当事人合法权益的,应当由申请执行的行政机关承担主要赔偿责任。

第二章 行政强制的种类和设定

第九条 行政强制措施的种类：

（一）限制公民人身自由；

（二）查封场所、设施或者财物；

（三）扣押财物；

（四）冻结存款、汇款；

（五）其他行政强制措施。

【释义】 本条是关于行政强制措施种类的规定。

行政强制措施是行政机关对公民人身自由实施暂时性限制，或者对公民、法人和其他组织的财产实施暂时性控制的行为。实践中，法律、法规规定的行政强制措施的种类很多，名称五花八门，有的不同名称说的是一个措施，有的同一个措施却使用不同名称，很不规范。为了保护公民、法人和其他组织的合法权益，需要法律予以规范。同时，对行政强制措施进行科学分类，也可以为划分法律、行政法规、地方性法规的设定权和规范行政强制措施的实施程序提供基础。根据对现行法律、法规中规定的行政强制措施的种类进行梳理，本条归纳、列举了最常见的涉及人身权、财产权的四类行政强制措施，分别予以规范。

一、限制公民人身自由

人身自由是宪法保障的公民的基本权利，限制公民人身自由是法律的专属立法权，根据立法法第九条的规定，只有法律才能设定。目前我国设定限制公民人身自由的法律主要有人民警察法、治安管理处罚法、道路交通安全法、海关法、公民出境入境管理法、外国人入境出境管理法、铁路法、戒严法、集会游行示威法、军事设施保护法、渔业法、海商法等。上述法律规定的限制公民人身自由的措施有：盘问、留置盘问、传唤、强制传唤、扣留、拘留、人身检查、强制检测、约束、隔离、强制隔离、强行带离现场、强行驱散、驱逐、禁闭等。

二、查封场所、设施或者财物

查封是行政机关限制当事人对其财产的使用和处分的强制措施。主要是对不动产或者其他不便移动的财产，由行政机关以加贴封条的方式限制当事人对财产的移动或者使用。查封在法律、法规中规定得比较多，实践中也比较常用。法律、法规中除使用"查封"外，还经常使用"封存"一词，如职业病防治法第五十七条规定的封存造成职业病危害事故或者可能导致职业病危害事故发生的材料和设备。少数情况下也使用"封闭""关闭或者限制使用场所""禁止或者限制使用设备、设施"等表述。

三、扣押财物

扣押是行政机关解除当事人对其财物的占有，并限制其处分的强制措施。与查封的区别是：一是扣押主要是针对可移动的财产；二是扣押的财产由行政机关保管。扣押在法律、法规中规定得比较多，实践中也比较常用。除了使用“扣押”外，法律、法规规定中还经常使用“暂扣”“扣留”等，如海关法第六条规定对违反法律、行政法规进出境的运输工具、货物、物品可以扣留。

四、冻结存款、汇款

冻结主要是限制金融资产的流动的强制措施，包括冻结银行存款、汇款和邮政企业汇款，也包括股票等有价证券。除了使用“冻结”外，还使用“暂停支付”一词。根据商业银行法的规定，冻结存款、汇款，只有法律才能规定。法律在规定冻结措施时也有非常严格的限制，只在确有必要的情况下才作出规定。目前，只有税收征收管理法、证券法、反洗钱法、邮政法规定了冻结措施（邮政法使用“扣留”一词）。此外，证券投资基金法、银行业监督管理法、保险法、审计法规定对涉嫌转移或者隐匿违法资金的，可以申请人民法院冻结。

五、其他行政强制措施

这是一个兜底性的规定。因为除了上述四类行政强制措施外，还有不少强制措施没有完全列举。如行政处罚法第三十七条规定的“登记保存”，价格法规定的“采取临时集中定价权限”“部分或者全面冻结价格的紧急措施”，动物防疫法规定的发生动物疫病时对易感染动物和动物产品采取“隔离”“扑杀”“销毁”等。在立法过程中，有的意见提出，除法律规定的行政强制措施外，行政法规不得创设其他行政强制措施种类。因此，草案一审稿和二审稿将兜底性的规定曾限定为“法律规定的其他行政强制措施”。但是,另外一种意见认为,行政管理情况复杂,法律难以把行政管理需要的行政强制措施都规定出来,实践中行政法规还规定了四类以外的许多强制措施,本法要为行政法规应对新情况、新问题留有空间。最后本法没有对“其他行政强制措施”作进一步限制,结合本法第十条的规定,行政法规也可以创设新的行政强制措施种类。

此外,关于强行进入住宅、生产经营场所是不是独立的强制措施问题,在立法过程中也作过研究。我国台湾地区“行政执行法”将进入住宅、生产经营场所作为一项独立的强制措施。草案曾经将“强行进入住宅”作为一项强制措施,并对其设定权作了规定。有的意见认为,进入住宅和生产经营场所是为了检查或者采取其他强制措施,本身并不是目的,不需要单独作为强制措施进行规范。因此,本法没有对强行进入住宅和生产经营场所进行规范。需要注意的是,我国宪法对公民住宅权作了明确规定,采取其他行政强制措施需要进入住宅的,需要由其他单行法律加以规定。

第十条　行政强制措施由法律设定。

尚未制定法律,且属于国务院行政管理职权事项的,行政法规可以设定除本法第九条第一项、第四项和应当由法律规定的行政强制措施以外的其他行政强制措施。

尚未制定法律、行政法规,且属于地方性事务的,地方性法规可以设定本法第九条第二项、第三项的行政强制措施。

法律、法规以外的其他规范性文件不得设定行政强制措施。

【释义】 本条是关于行政强制措施设定权的规定。

我国的立法体制是统一的，又是多层次的。法律、行政法规、地方性法规、经济特区法规、自治条例和单行条例、规章都是我国法律体系的有机组成部分。我国是单一制国家，立法权主要集中在中央，由全国人大及其常委会和国务院行使，省、自治区、直辖市人大及其常委会和较大市、经济特区人大及其常委会根据宪法、立法权享有部分立法权限。除了宪法和立法法外，一些单行法也对特定领域的立法权限作了进一步划分，如行政处罚法对行政处罚的设定权作了划分，行政许可法对行政许可的设定权作了划分，本法对行政强制的立法权限也作出了规定。为了解决实践中行政强制设定"乱"的问题，行政强制法明确规定有权设定行政强制措施的只有法律、行政法规和地方性法规，包括规章在内的其他规范性文件都不得设定行政强制措施。关于自治条例和单行条例、经济特区法规是否可以设定行政强制，本法没有明确规定。自治条例和单行条例、经济特区法规根据宪法、立法法、民族区域自治法和全国人大特别授权决定，享有比地方性法规更大的权限。但行政强制是一般行政管理措施，不属于经济特区和自治地方的特别需要，自治区和经济特区在行政管理中需要行政强制的，可以根据立法法第六十三条规定制定地方性法规，不需要通过制定自治条例和单行条例、特区法规。因此，行政强制法没有明确授权经济特区法规和自治条例、单行条例设定行政强制。

一、关于法律的设定权

行政强制措施涉及对公民的人身自由和财产权的限制，公民的人身权和财产权是宪法保护的公民权利，由全国人大及其常委会通过制定法律对公民的权利和自由作必要的限制，符合法治原则。根据本条的规定，行政强制措施由法律规定，法律可以设定各种行政强制措施。但是，法律也不能随意设定行政强制措施，要受两种制约：一是根据本法第三条的规定，设定行政强制应当适当，也就是要合理，能不设定的就不要设定。这种合理性的判断属于立法机关的裁定权。二是程序限制，就是起草时应当采取听证会、论证会等形式听取意见，并进行必要性分析。通过公众参与和程序制约，使设定的行政强制措施在合理的限制内。

二、关于行政法规的设定权

行政法规是国务院制定的规范性文件，行政法规的效力仅次于宪法和法律。所以本法也授权行政法规部分行政强制措施设定权。同时也作了两点限制：一是尚未制定法律，且属于国务院行政管理职权范围的事项的。宪法第八十九条规定了国务院的职权，在宪法规定内的事项，国务院可以制定行政法规，设定行政强制措施，但要遵循行政法的一个重要原则——法律优先的原则，就是尚未制定法律，行政法规才可以规定；法律作了规定的，行政法规要与法律的规定一致，不能超出法律的规定。二是不得设定限制人身自由、冻结存款、汇款和其他应当由法律规定的行政强制措施。按照行政法的另一个重要原则——法律保留原则，有些事项只能由法律规定，其他规范性文件包括行政法规都不能规定。限制人身自由的强制措施和冻结存款、汇款就是属于法律保留的事项。立法法第九条，商业银行法第二十九条、第三十条和邮政法第五条分别对限制人身自由的强制措施和冻结存款、汇款作了规定，同时对其他规范性文件设定限制人身自由的强制措施和冻结存款、汇款作了限制。关于其他应当由法律规定的行政强制措施包括哪些，本条没有明确列举，根据宪法的规定，强制进入公民住宅和限制公民通信自由，应当由法律规定。在立法过程中，对行政法规的设定权要不要进一步限制争议比较大，有的意见建议明确列举行政法规可以设定强制措施，不能概括授权。根据对现行行政法规的梳理，截止到 2010 年 5 月，在国务院共制定的 600 多件行政法规中，有 90 件规定了行政强制措施，其中 50 件没有法律作为依据，是行政法规创设的，创设的强制措施不仅限于本法第九条规定的查封、扣押。因此，本法没有对行政法规的设定权限明确界定。在遵循法律保留和法律优先的原则下，行政法规享有较大的设定权，至于还有哪些强制措施不能由行政法规设定，需要今后由其他单行法律再行厘清。

三、关于地方性法规的设定权

地方性法规是由有立法权的地方人大及其常委会制定的规范性文件。包括省、自治区、直辖市人大及其常委会制定的地方性法规和较大的市的人大及其常委会制定的地方性法规。从理论上讲，地方人大及其常委会是地方国家权力机关，只要属于地方事务，在不与法律、行政法规抵触的情况下，都可以制定地方性法规，设定行政强制措施。但我国是单一制国家，立法权主要集中在中央，地方的立法权限比较小。根据本条的规定，地方性法规只能设定查封和扣押的行政强制措施。此外，还有两个限制：一是尚未制定法律、行政法规，且属于地方性事务。尚未制定法律、行政法规就是该管理事项没有法律、行政法规规定，如果有法律、行政法规规定，地方性法规不能设定行政强制措施。对于什么是地方性事务，有不同的理解，比较窄的理解是属于地方特有的、需要针对当地实际情况作出规定的事务，甚至不需要中央立法，比如城市养犬问题、燃放烟花爆竹问题等；比较宽的理解是在地方行政区域内的除法律、行政法规明确属于中央事权外的其他事务。二是地方性法规只能设定查封、扣押的行政强制措施，不得设定其他行政强制措施。

四、法律、法规以外的规范性文件不得设定行政强制措施

行政强制措施是对公民人身权和财产权的限制，公民的人身权、财产权是宪法保护的公民权利，从理论上说限制公民的人身权、财产权应当由法律规定。但是，我国的法制建设起步晚，需要法律规范的领域多，社会发展变化快，只能由法律规定可能不适应行政管理的现实需要，因此，本法对行政强制措施的设定权作了明确规定，除了法律设定外，还授权行政法规和地方性法规有部分行政强制措施设定权。由于以前法律没有对行政强制措施的设定权进行统一的规范，行政强制措施的设定比较乱，除了法律、法规设定了行政强制措施外，规

章甚至规章以下的其他规范性文件也设定行政强制措施。本法从保护公民、法人和其他组织权益的角度考虑,没有规定规章和规章以下的规范性文件可以设定行政强制措施。对此有不同意见,但多数意见认为权力不能自授,地方政府和国务院部门是执行机关,主要任务是贯彻落实法律、法规,不能给自己设定权力,因此,规章和规章以下规范性文件不能设定行政强制措施。

第十一条　法律对行政强制措施的对象、条件、种类作了规定的,行政法规、地方性法规不得作出扩大规定。

法律中未设定行政强制措施的,行政法规、地方性法规不得设定行政强制措施。但是,法律规定特定事项由行政法规规定具体管理措施的,行政法规可以设定除本法第九条第一项、第四项和应当由法律规定的行政强制措施以外的其他行政强制措施。

【释义】　本条是关于法律、行政法规、地方性法规设定行政强制措施的统一性的规定。

一、法律对行政强制措施的对象、条件、种类作了规定的,行政法规和地方性法规不得扩大

无论是法律还是法规,在设定行政强制措施时,应当明确在什么情况下,对什么人或者组织,采取哪种强制措施,不应概括授权。但是,由于我国地域辽阔,经济社会发展不平衡,各地情况千差万别,在制定法律时不能规定得很详细、具体,只能作出原则性规定,这就给行政法规,尤其是地方性法

规进行具体化留下空间。为了保证国家法制的统一，行政法规、地方性法规对法律规定具体化，应当与法律的原则、精神和规定一致，不得与法律相抵触。从规范和约束行政强制措施的设定来说，法律对行政强制措施已作了规定的，行政法规和地方性法规可以对行政强制措施的对象、条件、种类具体化，但不得通过扩大行政强制措施的对象，放宽采取行政强制措施的条件和增加行政强制措施的种类，来扩大行政强制措施的适用。如森林法第三十七条规定，经省、自治区、直辖市人民政府批准，可以在林区设立木材检查站，负责检查木材运输。对未取得运输证件或者物资主管部门发给的调拨通知书运输木材的，木材检查站有权制止。但是《森林法实施条例》第三十七条规定，对无证运输木材的，木材检查站应当予以制止，可以暂扣无证运输的木材。“暂扣无证运输的木材”就增加了行政强制措施的种类，从而扩大了行政强制措施的适用。

二、法律中未设定行政强制措施的，行政法规、地方性法规不得设定行政强制措施。但法律规定特定事项需由行政法规规定具体管理措施的，行政法规可以设定行政强制措施

行政强制措施具有制止违法行为、防止证据损毁、避免危害发生和控制危险扩大等作用，是行政管理中经常使用的手段。同时，行政强制措施是一把“双刃剑”，运用得好，能够维护公共利益和社会秩序；运用得不好，就会对公民人身权、财产权造成侵害。因此，设定行政强制措施应当慎重，在确有必要时才设定，能够采用其他管理措施达到行政管理目的的，就

不要设定。法律在对某项领域进行规范时，都经过慎重权衡，如果需要设定行政强制措施，就应当明确规定，如果没有设定的，行政法规、地方性法规在制定实施性规定时，不得设定行政强制措施。但是，由于有些法律规定得比较原则，对于有些事项没有作具体规定，授权国务院规定。如农业法第六十四条规定，农业转基因生物的研究、试验、生产、加工、经营及其应用，必须依照国家规定严格实行各项安全控制措施。对实行什么样的“安全控制措施”没有作具体规定。国务院制定的《农业转基因生物安全管理条例》第三十九条规定，农业行政主管部门履行监督检查职责时，在紧急情况下有权对非法研究、试验、生产、加工、经营或者进口、出口的农业转基因生物实施封闭或者扣押。根据梳理，到目前为止有10多件行政法规属于上述情形而设定了行政强制措施，从行政管理的需要考虑，应当采取上述行政强制措施。因此，本条授权在法律对特定事项只作原则性规定，未规定具体管理措施的情况下，行政法规可以设定行政强制措施。但是，这种情况下，行政法规也不能设定应当由法律设定的行政强制措施。需要强调的是，本法没有授权地方性法规在此种情况下可以设定行政强制措施。

第十二条　行政强制执行的方式：

（一）加处罚款或者滞纳金；

（二）划拨存款、汇款；

（三）拍卖或者依法处理查封、扣押的场所、设施或者财

物；

（四）排除妨碍、恢复原状；

（五）代履行；

（六）其他强制执行方式。

【释义】 本条是关于行政强制执行方式的规定。

行政强制执行是行政机关或者行政机关申请人民法院对不履行行政决定确定的义务的公民、法人或者其他组织，依法强制履行义务的行为。因此，行政强制执行制度包括两部分内容：一是行政机关自己强制执行；二是申请人民法院强制执行。本条所列举的执行方式是行政机关的强制执行方式，人民法院强制执行的方式由民事诉讼法规定，民事诉讼法详细地规定了人民法院执行的方式和程序。根据执行手段的不同，行政强制执行分为间接强制和直接强制。间接强制的特点是手段相对平和，主要包括加处罚款或者滞纳金和代履行，加处罚款或者滞纳金是给当事人增新的金钱给付义务，不直接作用于当事人的财产，代履行就是由他人代为履行。直接强制的形式较多，特点是手段直接作用于当事人的财产和人身，较为常见的有划拨存款、汇款，拍卖或者依法处理财物。本条列举了五类常见的执行方式。

一、加处罚款或者滞纳金

加处罚款或者滞纳金在学理上属于执行罚，是间接强制的执行方式。执行罚是对于拒不履行行政决定确定的金钱给付义务的当事人，以加处新的金钱给付义务的方式，迫使当事人履行。如行政处罚法第五十一条规定，到期不缴纳罚款的，每日按罚款数额的百分之三加处罚款。执行罚经过一定期限，当事人仍不履行时，可以采取直接强制。在我国，执行罚主要是针对不履行罚款、税款、行政收费、社会保险费等金钱给付义务，国外加处罚款还针对当事人不履行作为或者不作为义务的执行。在我国，加处罚款主要是针对不缴纳罚款的行为，加处罚款的数额由行政处罚法统一规定；加处滞纳金是针对不缴纳税费的行为，加处滞纳金的数额由单行法律、行政法规和地方性法规规定。目前我国共有2部法律、15件行政法规对滞纳金的标准作了规定，滞纳金的数额有按日加处万分之五、千分之一、千分之二、千分之三、千分之五和按月加处百分之五不等。

二、划拨存款、汇款

划拨存款、汇款是直接强制执行方式，根据商业银行法第二十九条、第三十条的规定，采取划拨存款、汇款方式执行，需要由法律明确授权。目前行政机关划拨存款的，只适用于税收和征收社会保险费等少数领域，税收征收管理法第四十条和海关法第六十条使用的是“扣缴”一词。

三、拍卖或者依法处理查封、扣押的场所、设施或者财物

这是执行金钱给付义务采取强制执行方式，属于直接强制。根据行政处罚法第五十一条的规定，行政机关采取拍卖或者变卖等处理措施执行方式的应当由法律规定。目前，税收征收管理法第三十七条、第四十条和海关法第六十条、第九十条规定了依法拍卖或者变卖、变价的执行方式。此外，根据本法第四十六条第三款的规定，当事人在法定期限内不申请

行政复议或者提起行政诉讼，经催告仍不履行的，在实施行政管理过程中已经采取查封、扣押措施的行政机关，可以将查封、扣押的财物依法拍卖抵缴罚款。

四、排除妨碍、恢复原状

排除妨碍、恢复原状概念来源于民法通则和侵权责任法规定的民事责任形式。排除妨碍就是排除对权利人行使人身权或者财产权的阻碍，恢复原状就是通过修理等手段使受到损坏的财产恢复到损坏前状况。在行政管理中，公民、法人或者其他组织的行为侵害的不是其他民事主体的权利，而且侵害了公共财产，影响了行政管理秩序，也可能要承担排除妨碍、恢复原状的责任。如道路交通安全法第一百零四条第一款规定："未经批准，擅自挖掘道路、占用道路施工或者从事其他影响道路交通安全活动的，由道路主管部门责令停止违法行为，并恢复原状，可以依法给予罚款；致使通行的人员、车辆及其他财产遭受损失的，依法承担赔偿责任。"第一百零六条规定："在道路两侧及隔离带上种植树木、其他植物或者设置广告牌、管线等，遮挡路灯、交通信号灯、交通标志，妨碍安全视距的，由公安机关交通管理部门责令行为人排除妨碍；拒不执行的，处二百元以上二千元以下罚款，并强制排除妨碍，所需费用由行为人负担。" 水法第六十五条第一款规定："在河道管理范围内建设妨碍行洪的建筑物、构筑物，或者从事影响河势稳定、危害河岸堤防安全和其他妨碍河道行洪的活动的，由县级以上人民政府水行政主管部门或者流域管理机构依据职权，责令停止违法行为，限期拆除违法建筑物、构筑物，恢复原状;逾期不拆除、不恢复原状的,强行拆除,所需费用由违法单位或者个人负担,并处一万元以上十万元以下的罚款。"第六十七条第一款规定:"在饮用水水源保护区内设置排污口的,由县级以上地方人民政府责令限期拆除、恢复原状;逾期不拆除、不恢复原状的,强行拆除、恢复原状,并处五万元以上十万元以下的罚款。"放射性污染防治法第五十条规定:"违反本法规定,未编制环境影响评价文件,或者环境影响评价文件未经环境保护行政主管部门批准,擅自进行建造、运行、生产和使用等活动的,由审批环境影响评价文件的环境保护行政主管部门责令停止违法行为,限期补办手续或者恢复原状,并处一万元以上二十万元以下罚款。"气象法第三十五条规定:"违反本法规定,有下列行为之一的,由有关气象主管机构按照权限责令停止违法行为,限期恢复原状或者采取其他补救措施,可以并处五万元以下的罚款;造成损失的,依法承担赔偿责任;构成犯罪的,依法追究刑事责任:(一)侵占、损毁或者未经批准擅自移动气象设施的;(二)在气象探测环境保护范围内从事危害气象探测环境活动的。"

五、代履行

代履行是当事人拒绝履行行政决定的义务时,由行政机关或者第三人代替当事人履行行政决定的义务,并向当事人收取履行费用的执行方式。如固体废物污染环境防治法第五十五条规定,产生危险废物的单位,必须按照国家有关规定处置危险废物,不得擅自倾倒、堆放;不处置的,由所在地县级以上地方人民政府环境保护行政主管部门责令限期改正;逾期不处置或者处置不符合国家有关规定的,由所在地县级以上地方人民政府环境保护行政主管部门指定单位按照国家有关规定代为处置,处置费用由产生危险废物的单位承担。森林法第三十九条第二款规定,滥伐森林或者其他林木,由林业主管部门责令补种滥伐株数五倍的树木,并处滥伐林木价值二倍以上五倍以下的罚款。拒不补种树木或者补种不符合国家有关规定的,由林业主管部门代为补种,所需费用由违法者支付。代履行从性质上说是间接强制的一种,但有时与直接强制不容易区分,尤其是在行政机关代履行的情况下,如防洪法第四十二条规定,对河道、湖泊范围内阻碍行洪的障碍物,按照谁设障、谁清除的原则,由防汛指挥机构责令限期清除;逾期不清除的,由防汛指挥机构组织强行清除,所需费用由设障者承担。区别代履行和直接强制:一是看是否属于排除妨碍、恢复原状的情形,就是当事人应当履行的义务是由于当事人事先的作为引起的,需要由当事人消除违法的后果;二是是否强迫当事人自己消除自己违法的后果,代履行排除了强迫当事人作出一定行为,体现了对当事人人格和自由的尊重;三是是否属于由当事人承担费用;四是如果代履行时当事人抵抗,则不能代履行,这一点与国外的代履行制度不同;五是代履行的前提——行政决定的义务是可替代履行的,就是当事人履行和其他人履行效果没有不同。对不能履行的义务,只能直接强制,不能代履行。如预备役军官法第六十三条规定预备役军官拒绝或者逃避登记、军事训练,经教育拒不改正的,由当地人民政府强制其履行兵役义务。截止到 2010 年,我国共有 17 部法律、18 件行政法规规定了代履行。

六、其他强制执行方式

这是关于执行方式的兜底规定，因为除了上述四类行政强制措施外实践中还有一些执行方式，如城乡规划法规定的强制拆除，煤炭法规定的强制停产、强制消除安全隐患，《金银管理条例》规定的强制收购，《外汇管理条例》规定的回兑等。在立法中，强制执行方式由谁规定，有过不同意见，草案一审稿和二审稿将兜底规定限定为“法律规定的其他强制执行方式”。但是有不同意见认为，采取什么样的执行方式取决于行政决定的内容，法律、法规都可以设定执行方式。由于本法第十三条规定行政强制执行由法律设定，那么，行政强制执行方式就应当由法律设定。

第十三条　行政强制执行由法律设定。

法律没有规定行政机关强制执行的，作出行政决定的行政机关应当申请人民法院强制执行。

【释义】　本条是关于行政强制执行设定权的规定。

一、目前我国行政强制执行制度

我国的行政强制执行制度是由行政诉讼法规定的。行政诉讼法第六十六条规定：“公民、法人或者其他组织对具体行政行为在法定期限不提起诉讼又不履行的，行政机关可以申请人民法院强制执行，或者依法强制执行。”这一规定确立了行政机关自己强制执行和申请法院强制执行并行的模式。2000 年最高人民法院通过《关于执行〈中华人民共和国行政诉讼法〉若干问题的解释》,明确了行政机关申请法院强制执行的受理条件、期限、审查、裁定等。该解释第八十七条规定:“法律、法规没有赋予行政机关强制执行权,行政机关申请人民法院强制执行的,人民法院应当依法受理。”“法律、法规规定既可以由行政机关依法强制执行,也可以申请人民法院强制执行,行政机关申请人民法院强制执行的,人民法院可以依法受理。”

行政机关执行和行政机关申请法院执行并行的模式是由我国的实际情况决定的。目前我国共有10多部法律规定了行政机关直接强制执行,税务机关、海关、公安机关、公路主管部门、水行政主管部门、防汛指挥机构等部门和地方人民政府,法律通过单独授权有强制执行权,大部分执法部门没有直接强制执行权,需要申请人民法院强制执行。每年申请人民法院执行的非诉行政案件20万件左右。实践中一些行政法规和地方性法规规定了行政强制执行。根据对现行行政法规梳理,截至2010年上半年的600件行政法规中,有52件规定了行政强制执行,其中有法律依据的12件,规定代履行的12件,规定滞纳金的17件,规定直接强制执行的9件。对行政强制执行权进行规范,需要对设定了直接强制执行的行政法规进行处理,有的需要清理,如《价格管理条例》第三十一条和《企业法人登记管理条例》第三十二条分别规定了物价检查机构和企业法人登记主管机关有“划拨”银行存款的权力,违反商业银行法的规定。有的通过修改行政法规的方式作了处理,如原《城市房屋拆迁管理条例》第十七条规定,被拆迁人或者房屋承租人在裁决规定的搬迁期限内未搬迁的，由房屋所在地的市、县人民政府责成有关部门强制拆迁，或者由房屋拆迁管理部门依法申请人民法院强制拆迁，修改后的《国有土地上房屋征收与补偿条例》改为申请人民法院“强制搬迁”。

二、本法对行政强制执行制度的规定

本法维持了行政机关执行和申请法院执行的体制。部分代履行和执行罚由本法直接授权行政机关行使，如本法第五十条规定行政机关依法作出要求当事人履行排除妨碍、恢复原状等义务的行政决定，当事人逾期不履行，经催告仍不履行，其后果已经或者将危害交通安全、造成环境污染或者破坏自然资源的，行政机关可以代履行，或者委托没有利害关系的第三人代履行。对于加处罚款和滞纳金的执行罚，本法第四十五条规定，行政机关依法作出金钱给付义务的行政决定，当事人逾期不履行的，行政机关可以依法加处罚款或者滞纳金。加处罚款或者滞纳金的标准应当告知当事人。由于行政处罚法第五十一条对逾期不缴纳罚款的加处罚款作了规定，所有行政机关都有权对不履行罚款决定的加处罚款。税收征收管理法等 2 部法律和 15 件行政法规规定了滞纳金的标准。本法只对直接强制的实施机关进行限制，公民、法人或者其他组织不执行行政决定，行政机关可以实施间接强制，间接强制不能达到目的。法律规定有直接强制执行权的行政机关可以实施直接强制执行，没有直接强制执行权的行政机关就要申请人民法院强制执行。除了现行的 16 部法律规定了行政机关强制执行外，根据本法第四十六条第三款的规定，涉及金钱给付义务的案件，当事人在法定期限内不申请行政复议或者提起行政诉讼，经催告仍不履行的，在实施行政管理过程中已经采取查封、扣押措施的行政机关，可以将查封、扣押的财物依法拍卖抵缴罚款。

第十四条　起草法律草案、法规草案，拟设定行政强制的，起草单位应当采取听证会、论证会等形式听取意见，并向制定机关说明设定该行政强制的必要性、可能产生的影响以及听取和采纳意见的情况。

【释义】　本条是设定行政强制应当听取社会意见、说明必要性和可能产生的影响的规定。

本条是设定行政强制的程序性规范。本法对法律、行政法规、地方性法规的行政强制设定权作了规定，制定机关除了在本法规定的设定权限范围内设定外，还要求设定行政强制应当科学、合理。设定行政强制，涉及公共权力和公民权利的界限，法律、法规草案的起草单位，拟设定行政强制时，应当采取听证会、论证会等形式充分听取社会各方面的意见，这既是民主立法、科学立法的需要，也是从程序上严格规范行政强制设定权，解决和防止行政强制源头“乱”的有力举措。本条约束的对象是法律草案、法规草案的起草单位，主要是为了保证草案的立法质量，促进草案起草机关慎重设定行政强制，同时考虑到起草单位一般较为熟悉实际情况，其提供的有关必要性、可能产生的影响、意见和建议等情况有利于制定机关做好修改工作。

一、应当广泛听取意见

立法应当体现人民群众的意志，反映人民群众的意见、要求和建议。在立法过程中听取社会各方面的意见，既是民主立法的体现，也是立法法的明确要求。起草法律、法规草案是立法的一个关键环节，也要体现民主立法的要求。尤其是要设定行政强制，限制或者剥夺公民的人身权利或者财产权利，更应当让公众参与，充分听取各方面的意见。听取意见的形式包括听证会、论证会等。所谓论证会，就是邀请有关专家对草案内容，对拟设定的行政强制从必要性、可行性、科学性进行研究论证，作出评估，供起草单位和制定机关参考。听证会是指起草单位主持，由行政机关和公民参加，对拟设定的行政强制的必要性、合理性等进行辩论，起草单位根据辩论结果确定草案内容。立法听证在国外是一种比较成熟的立法民主制度，最初是由美国将司法听证引入立法和行政中，出现立法听证，"二战"后传到日本和拉丁美洲国家。在我国，立法听证是由立法法最先规定的一项立法民主参与制度。除了论证会、听证会外，还有一些其他的听取意见的方式，如召开座谈会、将草案印发有关部门和单位，书面征求意见。随着网络技术的发展，通过网络征求社会公众意见成为新兴的征求意见方式，全国人大常委会、国务院和一些有立法权的地方人大在制定法律、法规时，要求每个法律、法规草案都要通过网络向社会公开征求意见。

二、向制定机关说明有关情况

说明的内容包括：（1）设定行政强制的必要性。每部法律、法规的制定，起草单位都要向制定机关说明立法的必要性。为了限制设定行政强制过多，除了对整个立法的必要性作出说明外，本条还要求对设定行政强制的必要性作出说明。(2)设定行政强制可能产生的影响。设定行政强制的目的是为了制止或者纠正违法行为，维护公共利益和社会秩序。但同时也要防止过度管制，使经济和社会活动失去活力，让老百姓动辄得咎，无所适从。对设定行政强制可能产生的影响要全面分析、说明，不仅要分析、说明设定行政强制的积极影响，也要分析、说明设定行政强制的消极影响，尤其要分析、说明设定行政强制增加的制度成本和执行人员可能违法行使强制权的风险。设定行政强制要把握好政府管制和公民权利之间的平衡，能不设定行政强制的，就不要设定行政强制。要遵守本法第五条的规定，行政强制的设定应当适当，采取非强制手段可以达到行政管理目的的，不得设定行政强制。(3)听取和采纳意见的情况。在起草单位采取听证会、论证会等形式听取意见的过程中，要全面、充分地听取各方面的意见，既要听取行政机关的意见，也要听取公民、法人和其他组织的意见，既要听取本部门的意见，也要听取其他部门的意见，既要听取赞成的意见，也要听取反对的意见。现在一些听证会出现走过场的情况，采纳与否，完全由主持听证的机关自己掌握，有的部门把听证会、论证会当作维护部门利益的工具，听得进对自己部门有利的，听不进对自己部门不利的，使听证失去本来的作用。因此，本条规定要向制定机关说明听取和采纳意见的情况，就是要求听取意见要有实际效果，防止征求意见走过场、走形式。

第十五条　行政强制的设定机关应当定期对其设定的行政强制进行评价，并对不适当的行政强制及时予以修改或者废止。

行政强制的实施机关可以对已设定的行政强制的实施情况及存在的必要性适时进行评价，并将意见报告该行政强制的设定机关。

公民、法人或者其他组织可以向行政强制的设定机关和实施机关就行政强制的设定和实施提出意见和建议。有关机关应当认真研究论证，并以适当方式予以反馈。

【释义】　本条是关于对已设定的行政强制进行评价的规定。

法律是规范社会实践的，需要具有稳定性，不能朝令夕改，但也不能固守成规。实践情况在不断变化之中，法律要发挥规范社会实践的作用，就是要适应社会发展的需要，及时作出调整，对不适应实践需要的内容及时修改或者废止。行政强制涉及公民人身权、财产权的限制或者剥夺，设定时要慎重，设定以后，可能会随着社会实践的发展变化，出现不适应、不需要的情形。因此，制定机关应当定期进行评价，不适应实践需要的，要及时修改或者废止，也就是说行政强制制度要有“退出”机制。本条规定的就是行政强制“退出”机制，评价是行政强制“退出”的前提，修改或者废止就是评价的目的之一。对一项法律制度的实施进行评价，及时对该项制度的存废进行分析，是保证法的合理性、适应性的重要措施，非常有意义。对法律的实施评价是行政许可法第一次提出来的，但从目前的情况看，执行的效果并不太好，无论是制定机关的评价还是实施机关的评价都还未开展起来，需要认真贯彻落实。

本条的规定有四层含义：一是法律、法规的制定机关在设定行政强制后，应当定期进行评价；二是行政强制的实施机关可以适时对行政强制实施情况及存在必要性进行评价；三是公民、法人或者其他组织向行政强制的设定机关和实施机关提出意见和建议；四是制定机关认为不适当的，应当及时予以修改或者废止。

一、设定机关的评价

从根本上解决行政强制存在的问题，要靠设定机关从源头上把好关。根据本法的规定，行政强制由法律、行政法规和地方性法规设定。对行政强制评价的目的，是修改或者废止不适当的行政强制，行政强制的修改和废止也要由设定机关进行。因此，本法规定设定机关要定期对其设定的行政强制进行评价。评价的内容主要是必要性和对社会的影响。经过评价，认为不适当，就应当及时修改或者废止，至于什么是不适当，由设定机关作出判断。

二、实施机关的评价

立法规范社会实践，又来自于社会实践，对实践经验的总结，法律制定出来后，是否适合社会实践，实施的效果如何也要靠实践来检验。行政强制的实施机关是法律、法规的执行机关，在执法的第一线，对行政强制的实施情况最为了解，对行政强制是否有必要最有发言权，由实施机关对行政强制的实施情况及存在的必要性进行评价，非常合适。但是，设定行政强制是赋予实施机关权力，实施机关反映的情况是否真实，作出的评价是否公正，是行政强制评价制度能否真正落实的关键。实施机关应当根据执法情况，及时对实施中存在的问题进行分析，将意见报告给设定该行政强制的机关。

三、公民、法人或者其他组织的意见和建议

我们是人民民主专政的国家，人民群众是国家的主人，一切国家权力都来源于人民的授予，对国家机关的工作提出批评、建议是宪法赋予公民的基本权利。制定机关在设定行政强制时，要听取人民群众的意见，在实施后，也要听取人民群众的意见和建议。同时，人民群众又是行政管理相对人一方，是行政强制的对象，对行政强制的影响可能体会得更直接、更深切。设定机关对实施的行政强制进行评价，不仅要听实施机关的评价，还要充分听取公民、法人或者其他组织的意见和建议，这样才能作出正确的判断。根据本条的规定，公民、法人或者其他组织既可以向行政强制的设定机关提出意见和建立，也可以向实施机关提出意见和建议；既可以针对行政强制的设定提出意见和建议，也可以对行政强制的实施提出意见和建议。对于公民、法人或者其他组织提出的意见和建议，有关机关应当认真研究论证，并以适当方式予以反馈。本法没有明确具体的反馈方式，实践中可以根据具体情况通过回信、电话或者通过网络和其他媒体集中进行反馈。

四、制定机关认为不适当的，应当及时予以修改或者废止

制定机关对已设定的行政强制进行评价，主要目的就是

了解、掌握该行政强制是否适应需要,实践中有没有什么问题,要不要进行修改,有没有继续存在的必要。经过分析评价,如果认为这项制度不合理,没有必要,就应当按照立法程序及时修改或者废止。

第三章　行政强制措施实施程序

第一节　一 般 规 定

第十六条　行政机关履行行政管理职责，依照法律、法规的规定，实施行政强制措施。

违法行为情节显著轻微或者没有明显社会危害的，可以不采取行政强制措施。

【释义】 本条是关于行政机关实施行政强制措施的条件的规定。

一、实施行政强制措施的一般条件

本法是行政强制的一般法，不是普遍授权，难以明确规定行政强制措施的具体实施条件，只能概括出一些原则性条件，引导各行政管理领域的法律、法规依此确定合理的、具体的实施条件，以达到统一规范行政强制措施实施的目的。行政强制措施的一般实施条件有四点：

一是只能在履行行政管理职责过程中实施。在行政管理过程中，行政机关有时需要通过采取必要的强制措施，以维护公共利益和社会秩序。行政强制措施是暂时性地限制公民人身权利，或者公民、法人和其他组织的财产权利，只能在行政管理活动中实施。有些强制措施如查封、扣押和冻结，在行政强制执行中也经常用到，虽然名称、形式一样，但目的和性质不同。

二是必须符合法律、法规规定的可以实施行政强制措施的情形。行政强制措施是一项“中间性”行为，是一项临时采取的措施，一般在制止违法行为、防止证据损毁、避免危害发生、控制危险扩大等情形下才能实施，这四类情形既是实施行政强制措施的条件，也是实施目的，在设定行政强制措施时应严格把握，行政执法人员在实施行政强制措施时也应严格遵守。

三是必须有法律、法规的明确授权。行政强制措施的设定权问题只能由法律、法规规定，本法没有普遍授权，行政机关享有行政强制措施权要由单行法律、法规具体授权。我国有很多法律、法规对行政机关的行政强制措施作出了授权，据统计，规定了行政强制措施的行政法规有99件。如《森林防火条例》规定，因扑救森林火灾的需要，县级以上人民政府森林防火指挥机构可以决定采取开设防火隔离带、清除障碍物、应急取水、局部交通管制等应急措施。“开设防火隔离带、清除障碍物、应急取水、局部交通管制”都属于法规授权的强制措施，行政机关只能在授权范围内实施。

四是必须由行政机关实施行政强制措施。本法第十七条对行政强制措施的实施主体作了具体规定，行政强制措施应当由行政机关实施，但在一定条件下，法律、法规授权的具有管理公共事务职能的组织也可以实施。在一些法律、法规中，也对行政强制措施的实施主体有着明确的限制,如药品管理法规定,药品监督管理部门对有证据证明可能危害人体健康的药品及其有关材料可以采取查封、扣押的行政强制措施。根据这项规定,有权行使行政强制措施的主体只有药品监督管理部门。只有法定授权的具有行政强制措施权的行政机关才能实施行政强制措施。

二、可以不实施行政强制措施的情形

行政强制措施是行政管理必不可少的手段,但行政强制措施对当事人的权益影响很大,在实施的过程中应当慎之又慎。实施行政强制措施不是目的,只要能够达到行政管理的目的,行政机关应当尽量少采用行政强制措施。因此,本条规定了可以不采取行政强制措施的情形,即违法行为情节显著轻微或者没有明显社会危害的,鼓励行政机关尽量通过说服教育等方式达到行政管理的目的。本法第五条规定:“行政强制的设定和实施,应当适当。采用非强制手段可以达到行政管理目的的,不得设定和实施行政强制。”本条第二款的规定正是对总则中所确立的鼓励采用非强制手段的立法原则的具体化。

第十七条　行政强制措施由法律、法规规定的行政机关在法定职权范围内实施。行政强制措施权不得委托。

依据《中华人民共和国行政处罚法》的规定行使相对集中行政处罚权的行政机关,可以实施法律、法规规定的与行政处罚权有关的行政强制措施。

行政强制措施应当由行政机关具备资格的行政执法人员实施，其他人员不得实施。

【释义】 本条是关于行政强制措施的实施主体和相对集中行政强制措施权的规定。

一、行政强制措施的实施主体

目前行政强制措施的实施主体比较庞杂，有的地方和部门将行政强制措施权委托给社会组织和不具备资格的执法人员实施，有的甚至雇用临时人员执法，执法随意性较大，侵害公民合法权益的情况时有发生，影响了法制的严肃性和政府形象。因此，本条对行政强制措施的实施主体加以严格规范。主要从四个方面进行了规范：

一是只有行政机关才能实施行政强制措施。与行政处罚权和行政许可权不同，行政强制措施权不得委托，行政强制措施的即时性和强制性，决定了它对于公民、法人和其他组织的权益影响更大，所以对行政强制措施实施主体的规定更加严格，只能由行政机关来实施，不得委托给其他行政机关、组织或者个人。

二是行政机关中，只有法律、法规授予行政强制措施权的才能实施，未经授权的行政机关不得作为实施主体。换言之，不是所有的行政机关都能够行使行政强制措施权，行政强制措施权不是行政机关的“天然”权力，本法也没有概括授权行政机关实施行政强制措施，每个具体的行政机关的行政强制措施权，需要由单行法律、法规授权。单行法律、法规在规定行政强制措施的同时，一般会明确规定实施该行政强制措施的主体，而未被授权的其他行政机关，不具备行政强制措施权。

三是法律、行政法规授权的具有管理公共事务职能的组织在法定授权范围内，可以实施行政强制。本法在附则中对授权组织实施行政强制作出了规定，授权组织行使行政强制措施权要具备几个条件：(1)必须是具有管理公共事务职能的组织，如中国证券监督管理委员会、中国保险监督管理委员会、中国国家电力监督管理委员会，分别根据证券法、保险法、电力法的授权行使管理公共事务的职能，一般的组织不得被授权成为实施行政强制措施的主体；(2)必须是法律、行政法规授予行政强制措施权的组织，地方性法规和其他规范性文件授权的组织不得成为实施主体；(3)必须在法定授权范围内实施行政强制措施，不得超出授权范围实施行政强制措施；(4)必须以自己的名义实施行政强制措施，即在法定范围内独立实施强制措施，并能够独立地承担因实施行政强制措施而产生的法律责任或者法律后果，被授权的组织经法定授权后，遵守本法对行政机关的所有规范。

四是代表行政机关实施行政强制措施的必须是具备资格的行政执法人员，其他人员不得实施。这是对行政执法人员的要求，一旦不具备资格的行政执法人员实施了行政强制措施，首先是违法实施，同时该行为依然属于该行政机关的行为，该行政机关不能免责。在城管执法时，执法队伍人员良莠不齐，野蛮执法、粗暴执法的现象时有发生，一些执法人员往往是聘用的合同工、临时工、协管等，不具备执法资格，行政机关也常常以此作为不承担法律责任的借口,在社会上造成了相当大的负面影响。国务院《全面推进依法行政实施纲要》《关于加强市县政府依法行政的决定》规定,实行行政执法人员资格制度,对拟上岗执法的人员要进行相关法律知识考试,经考试合格的才能授予其行政执法资格,上岗行政执法,没有取得执法资格的不得从事行政执法工作。本条也对此作了强调,规定行政强制措施必须由行政机关具备资格的行政执法人员实施,其他人员不得实施。如果行政机关派出不具备资格的行政执法人员实施行政强制措施,该执法行为违法,需要追究法律责任的,由该行政机关承担。

二、相对集中行政强制措施权

相对集中行政强制措施权是指将单行法律、法规授权各行政机关的行政强制措施权从原行政机关的管理职能中分离出来,由一个行政机关统一行使;行政强制措施权相对集中后,被集中的行政机关不得再行使。

在行政处罚法出台前,由于行政部门过多、职权交叉,多头执法、重复处罚、执法扰民的现象严重,尤其是在城市管理领域,老百姓常戏称为"十顶大盖帽,管着一顶破草帽",严重影响了执法效率和政府形象。为解决多头执法问题,1996 年颁布的行政处罚法确立了相对集中行政处罚权制度,规定国务院或者经国务院授权的省、自治区、直辖市人民政府可以决定一个行政机关行使有关行政机关的行政处罚权,开始相对集中行政处罚权工作。为了实施好这一制度,2000 年国务院办公厅《关于继续做好相对集中行政处罚权试点工作的通知》和2002年国务院《关于进一步推进相对集中行政处罚权工作的决定》从批准程序、机构设置、实施范围、争议处理等方面对相对集中行政处罚权制度作了具体规定。国务院陆续批准了一些省、自治区、直辖市开展相对集中行政处罚权工作的试点和探索。据2005年公布的数据，全国有24个省、自治区政府根据国务院授权批准了200多个城市开展了相对集中行政处罚权工作，各地也纷纷制定了关于相对集中行政处罚权的地方性法规、规章，实施范围也从以城市管理为核心扩展到文化、卫生、旅游、矿山安全等领域。

行政处罚权的相对集中是否必然带来与之紧密相关的行政强制措施权的转移？这个问题一直存在争议。有的意见认为，行政处罚权和行政强制措施权是两个独立的行政权力，相对集中行政处罚权不一定需要集中行政强制措施权。另一种意见认为，行政强制措施和行政处罚是完整的行政权的组成部分，行政处罚权相对集中后，如果行政强制措施权仍由原机关行使，行政处罚权将落空。行政处罚权集中之后，行政强制措施权也应随之转移，不应当将行政处罚权和行政强制措施权割裂开来。因此，根据《中华人民共和国行政处罚法》第十六条，本条规定行使相对集中行政处罚权的行政机关，可以实施法律、法规规定的与行政处罚权有关的行政强制措施，确立了相对集中行政强制措施权。

相对集中行政强制措施权的规定包括三个内容：第一，相对集中行政强制措施权实施主体的设定是由本法直接授权，不需要由国务院或者省级政府一一授权。第二，具有相对集中行政强制措施权的行政机关限于行政处罚法第十六条所规定的行使相对集中行政处罚权的行政机关,即由国务院或者经国务院授权的省、自治区、直辖市人民政府决定。换言之,行政强制措施权是随着相对集中行政处罚权的转移而转移的。第三,相对集中行政强制措施权仅限于与行政处罚权有关的行政强制措施。在行使相对集中行政处罚权时,需要一些特定的行政强制措施作为执法手段和执法保障,随行政处罚权转移的只限于这些特定的行政强制措施。

第十八条　行政机关实施行政强制措施应当遵守下列规定:

(一)实施前须向行政机关负责人报告并经批准;

(二)由两名以上行政执法人员实施;

(三)出示执法身份证件;

(四)通知当事人到场;

(五)当场告知当事人采取行政强制措施的理由、依据以及当事人依法享有的权利、救济途径;

(六)听取当事人的陈述和申辩;

(七)制作现场笔录;

(八)现场笔录由当事人和行政执法人员签名或者盖章,当事人拒绝的,在笔录中予以注明;

(九)当事人不到场的,邀请见证人到场,由见证人和行政执法人员在现场笔录上签名或者盖章;

(十)法律、法规规定的其他程序。

【释义】 本条是关于实施行政强制措施一般程序的规定。

规范行政强制措施的实施程序是行政强制立法的重点之一。本条是实施行政强制措施的一般程序，也是基本程序要求，除本法第十九条规定的事后报告批准程序外，不得降低程序要求。本条所列各项程序，可分为内部程序和外部程序。

一、内部程序

实施行政强制措施前须向行政机关负责人报告并经批准。行政强制措施直接关系到公民的人身权、财产权等基本权利，不能任由行政执法人员随意作出，必须向行政机关负责人报告并经批准，也就是一般需要由行政机关作出书面的决定，这是我国行政强制措施和国外即时强制的主要区别。国外没有行政强制措施的概念，用的是“即时强制”，就是当场实施行政强制措施，适用的范围比较窄，主要是警察权。我国的行政强制措施适用较为普遍，因此必须要经过批准。但是在一些情况紧急的情形下，有时需要当场实施行政强制措施，可能来不及向行政机关负责人报告，可以不执行事先报告和批准的程序，但也应在二十四小时内报告，并补办批准手续。行政执法人员违反了内部程序，除有行政决定书外，当事人很难知晓，更多的是行政执法人员承担违法违纪责任，不直接导致行政行为的违法。

二、外部程序

本条第二项至第九项规定了实施行政强制措施的外部程序。如果行政执法人员违反外部程序，将导致行政行为违法，

所在行政机关承担败诉责任。本条从以下几个方面对外部程序作了规定:

1. 由两名以上行政执法人员实施。这样规定有利于约束行政执法人员依法实施行政强制措施,便于执法人员之间相互监督,防止出现非法实施、侵犯当事人合法权益的行为,同时也可以防止当事人诬陷、诬告、贿赂执法人员。因此,行政执法一般都要求两名以上执法人员。

2. 出示执法身份证件。了解执法人员的执法身份,是当事人应有的权利。行政执法人员实施行政强制措施时,必须向当事人出示其合法的执法证件,表明其执法身份。执法证件中,应当载明其所代表的行政机关的名称及该执法人员所任职务等内容。

3. 通知当事人到场。这样规定是为了便于执法人员向当事人说明实施行政强制措施的有关情况,同时也便于当事人进行陈述、申辩和对实施的过程进行监督,维护自己的合法权益。但实践中经常会出现联系不到当事人或者当事人不能及时到场的情况,为保证实施行政强制措施的公正性,实行有效的监督,当事人不到场的情况下,应邀请与当事人或是案件没有利害关系的人员到现场见证行政强制措施的实施过程,发挥群众的监督作用,督促行政执法人员在没有当事人到场的情况下也能够公正执法。

4. 当场告知当事人采取行政强制措施的理由、依据以及当事人依法享有的权利、救济途径。告知应在实施行政强制措施时当场进行,具体形式可以在行政强制措施决定书中载明，同时也要当场向当事人宣读应告知的内容，紧急情况下可以口头告知。无论是一般行政强制措施，还是紧急情况下的即时强制，如果行政机关未依法履行告知程序就实施行政强制措施，则违反了程序规定，导致其行政行为违法。但是，在当事人不到场的情况下，送达的行政强制措施决定书视为告知。

5. 听取当事人的陈述和申辩。行政执法人员向当事人告知了采取行政强制措施的有关情况后，当事人有权表明自己的意见和看法，提出自己的主张和证据，也有权进行解释、辩解，反驳对自己不利的意见和证据。陈述权和申辩权是当事人所享有的重要权利，听取当事人的陈述和申辩也是行政机关的法定义务。

6. 制作现场笔录和在现场笔录上签名盖章。行政执法人员应当对实施行政强制措施的现场情况予以书面记录。现场笔录一般包括以下内容：第一，实施行政强制措施的事由、时间、地点、当事人、实施人员、其他参加人员的到场情况；第二，实施行政强制措施的过程和结果；第三，当事人的陈述和申辩，或者见证人对实施提出的意见或者看法等；第四，其他需要记录的有关情况。当事人如果对现场笔录没有异议，应当在现场笔录上签名或者盖章，证明现场笔录的记载属实。签名或者盖章是现场笔录发生法律效力的要件之一。实践中并不是每个当事人都愿意在现场笔录中签名或者盖章，甚至会无理纠缠，如果当事人拒绝签名的，行政执法人员应当在笔录上注明，这种情况不影响笔录的效力。当事人不到场的，邀请见证人到场,由见证人和行政执法人员在现场笔录上签名或者盖章。

此外,各单行法律、法规可能还会对特定行政强制措施的实施作出其他的程序规定,行政机关在执法时也要一并遵守。

第十九条 情况紧急,需要当场实施行政强制措施的,行政执法人员应当在二十四小时内向行政机关负责人报告,并补办批准手续。行政机关负责人认为不应当采取行政强制措施的,应当立即解除。

【释义】 本条是关于即时强制的规定。

本法第十八条第一项规定,实施行政强制措施前须向行政机关负责人报告并经批准。因此,在一般情况下,实施行政强制措施需要有书面决定,但在一些紧急情况下,为制止紧急事态或违法行为,需要当场实施行政强制措施,直接对当事人的人身、财物或行为即时采取强制手段,来不及履行报告批准程序,国外一般把这种措施称为“即时强制”,其目的是为排除目前紧迫障碍的需要。

德国即时强制的措施散见于联邦行政强制执行法、各州行政强制执行法及警察法等具体法规的具体条文之中,没有专门立法规定,即时强制制度属于德国行政强制执行制度中的一项特殊制度,是德国行政强制执行方式的核心内容,它有两个明显的特点:一是无须以行政决定为前提;二是无事先告诫环节。与德国相同,日本的即时强制也属于行政执行制度的一种,由单行法分别规定,没有关于即时强制的基本法,其实施不以义务的不履行为条件，不以行政命令为前提。

根据本条规定，实施即时强制应当遵守几个基本条件：(1)要符合法律规定的情形，具备必要性。本条将即时强制的实施条件笼统地归纳为“情况紧急”，一般指在紧迫场合，如不采取强制措施会损害公共利益和他人利益的情形。由于实践中的行政行为情形复杂，本法无法对即时强制的实施条件明确规定，只能依据各单行法律、法规的规定或者由执法人员作出判断。(2)必须遵循法定程序。即时强制的“即时性”和“紧迫性”特征使其无法遵守一般行政强制措施的实施程序，可以当场直接采取强制措施，以便及时阻止危险或排除事故。本条规定了即时强制的特别程序，即事后报告和补办手续的程序。事后报告程序需要特别注意两点：一是事后报告必须在实施行政强制措施后二十四小时内。当然，本规定也不排斥当场实施强制措施当场报告的做法。二是情况紧急，当场实施行政强制措施，除了可以事后报告并补办批准手续外，本法第十八条第二项至第九项、第二十条等规定的其他程序仍必须履行。(3)事后救济。即时强制本身的特点决定了其即时性，大多是由于情况紧急而不容拖延，并且有的属于事实行为，所以对有的即时强制的救济不能适用撤销诉讼，当事人只能请求损害赔偿或损失补偿的救济。但是，在有些情况下，即时强制的影响具有持续性，比如对人身的隔离。对于这种持续性的即时强制，本法规定行政机关负责人认为不应当采取行政强制措施的，应当立即解除，尽量减轻对当事人的损害，造成损害的，当事人可以提起赔偿或补偿。

第二十条　依照法律规定实施限制公民人身自由的行政强制措施，除应当履行本法第十八条规定的程序外，还应当遵守下列规定：

（一）当场告知或者实施行政强制措施后立即通知当事人家属实施行政强制措施的行政机关、地点和期限；

（二）在紧急情况下当场实施行政强制措施的，在返回行政机关后，立即向行政机关负责人报告并补办批准手续；

（三）法律规定的其他程序。

实施限制人身自由的行政强制措施不得超过法定期限。实施行政强制措施的目的已经达到或者条件已经消失，应当立即解除。

【释义】　本条是关于限制人身自由行政强制措施的实施程序的规定。

人身自由是宪法保障的公民的基本权利，依法享有人身自由是公民得以行使其他各项权利的前提和基础。随着近年来立法进程的加快，设定限制公民人身自由的行政强制措施日益增多，但其实施程序和制约机制却显得过于简单、薄弱。社会对这个问题广泛关注，要求严格规范行政强制措施实施程序的呼声很高。根据本法第九条、第十条的规定，限制人身自由的行政强制措施只能由法律设定，立法法第八条、第九条也规定，限制人身自由的强制措施只能制定法律。为体现从严规范的精神，本条从严格规范实施程序的角度作了规定，要求除了遵循第十八条规定的一般程序外，还另外增加了五项特别程序：

一是当场告知或者是事后立即通知当事人家属实施行政强制措施的机关、地点和期限。限制当事人的人身自由，应当及时让其家属知道当事人的具体情况，防止造成当事人下落不明，其家属难以依法维权。另外，在一些特殊情况下，比如其孩子年幼或者亲属疾病无人照料等，如果不及时通知其家属，还可能会引发其他事件，给当事人及其家属和他人的生活、工作带来不便甚至危险。通知内容包括实施行政强制措施的行政机关、地点和期限。如果家属在现场，通知可以当场作出；如果家属不在现场，应在实施行政强制措施后通过合理的方式立即通知。通知形式可以是书面，也可以是电话。通知应当采用合理及时的方式，能使其家属尽快知道有关情况。

二是紧急情况下当场实施的，应当在返回行政机关后立即向行政机关负责人报告并补办批准手续。这项规定比一般行政强制措施的二十四小时内报告的要求更加严格，明确规定了报告的时间，即在返回行政机关后立即报告，使行政机关负责人能够在第一时间内获知实施行政强制措施的情况。这项规定是严格规范即时强制程序的一种体现。

三是实施不得超过法定期限。这一规定有利于防止行政机关任意限制当事人人身自由，保障当事人的合法权益。考虑到限制人身自由的强制措施期限在单行法中都有具体规定，因此本条没有对期限作出具体规定，仅作原则性规定。但按照法律规则，限制人身自由行政强制措施的临时性特点决定了期限不能太长。治安管理处罚法规定，询问查证违反治安管理行为人的时间不得超过八小时，最长不得超过二十四小时;海关法规定扣留走私犯罪嫌疑人的时间为二十四小时,特殊情况下可以延长至四十八小时。

四是实施行政强制措施的目的已经达到或者条件已经消失的,应当立即解除,不得拖延。与行政处罚不同,实施限制公民人身自由的行政强制措施的直接目的并非为了制裁当事人,而是为了达到特定的行政目的,尤其是这种行政强制措施是针对公民的人身自由,所以更应慎重。实施限制公民人身自由的行政强制措施的程度以行政目的达到为限,因此一旦目的达到,应当立即解除。另外,这种限制公民人身自由的行政强制措施的实施需要具备时间、情形、实施主体的资格等各方面的严格条件,一旦其中任何一个条件不再具备,都应当立即解除。

五是法律规定的其他程序。如果单行法中对即时强制措施还有特别的程序规定,也要遵照执行。如在海关法中,扣留走私犯罪嫌疑人需要经直属海关关长或者其授权的隶属海关关长批准,这就属于特定行政强制措施的特别程序,也要遵守。

第二十一条　违法行为涉嫌犯罪应当移送司法机关的,行政机关应当将查封、扣押、冻结的财物一并移送,并书面告知当事人。

【释义】 本条是关于涉嫌犯罪案件移送的规定。

刑事责任与行政责任都属于公法责任,刑事责任是较行政责任更为严厉的国家惩罚,为体现过罚相当原则,应当适用刑事优先原则。移送是指对涉嫌犯罪的案件无管辖权的行政机关将案件移送到有管辖权的司法机关处理。

实践中有的行政执法机关因受部门利益的驱使,对应当移送的刑事案件不移送,罚款了事;有的由于行政执法人员业务能力差,不能准确地判定罪与非罪,出现了以罚代刑的问题,使犯罪分子逍遥法外,破坏了刑罚制度,影响了执法效果和社会的稳定。为杜绝以罚代刑现象,依法惩治犯罪行为,2001 年 7 月国务院颁布了《行政执法机关移送涉嫌犯罪案件的规定》,明确规定了行政执法机关向公安机关移送涉嫌犯罪案件的依据、程序、标准,以及有关部门的责任,建立了涉嫌犯罪案件移送制度。行政处罚法也对涉嫌犯罪案件的移送制度作了规定,本法也作了同样的规定。行政机关在查处违法行为时,发现当事人涉嫌犯罪的,应当及时移送司法机关处理,行政机关不能继续行使行政管辖权,更不能以罚代刑。

本条在明确移送制度的同时,又进一步规定了不仅移送案件,还要移送办案过程中查封、扣押、冻结的财物。在实践中,经常出现行政机关为了部门利益,截留查封、扣押、冻结的财物,使司法机关难以了解案件事实,查找有关证据,给司法机关办案带来极大不便,影响了案件办理结果的公正性。因此,在启动刑事责任追究机制后,案件的管辖权转到司法机关,原办案的行政机关应当将所有与案件有关的文件和财物都移送,以便司法机关查办案件。按照《行政执法机关移送涉嫌犯罪案件的规定》,行政机关在司法机关决定立案后,应当于接到立案通知书之日起三日内,将涉案物品以及与案件有关的其他材料移交给司法机关，办结交接手续。法律、行政法规另有规定的，从其规定。

另外，行政机关在将涉案财物移送司法机关之后，应当通过书面的方式告知当事人，以便当事人及时了解案件的主管机关，掌握案件办理的有关情况，依法维护自己的合法权益，选择合理的救济途径。

第二节 查封、扣押

第二十二条 查封、扣押应当由法律、法规规定的行政机关实施，其他任何行政机关或者组织不得实施。

【释义】 本条是关于查封、扣押实施主体的规定。

查封、扣押是行政机关直接对当事人的场所、设施或者财物予以暂时性控制的行政强制措施。查封、扣押构成了对当事人财产权的限制，若运用不当，会对当事人的财产造成不必要的损害，因此法律上必须予以规范，进行严格限制。明确实施主体的条件，是规范查封、扣押措施的重要内容。通过限定实施主体，提高资格门槛，可以解决实践中实施主体过多的问题，减少乱查封、乱扣押的现象。

本条将查封、扣押的实施主体限定为法律、法规规定的行政机关；同时，根据本法第七十条的规定，法律、行政法规授权的具有管理公共事务职能的组织在法定授权范围内，以自己的名义实施行政强制，适用本法有关行政机关的规定。这就意味着：查封、扣押的实施主体只能是行政机关和具有管理公共事务职能的组织，其他任何组织和个人都不得作为实施主体；同时，查封、扣押不是行政机关和具有管理公共事务职能的组织必然拥有的权力，行政机关还必须有法律、行政法规、地方性法规的授权，具有管理公共事务职能的组织还必须有法律、行政法规的授权。

1. 查封、扣押只能由行政机关或者具有管理公共事务职能的组织实施。行政机关是为实现行政目的依法设立，以自己名义对外行使行政权力，履行行政职责，从事行政活动，并承担相应法律后果的行政单位。行政机关不同于行政机构。行政机构一般是指属于某一行政机关组成部分的内设机构、派出机构和专门机构等行政单位，如卫生局人事处、公安局所设各派出所、专利局所设专利复审委员会等。行政机构一般对外不能以自己的名义作出行政行为，除非有法律、法规的授权。具体来说，行政机关包括中央和地方各级人民政府及其组成部门、直属机构、派出机构等，不包括办事机构、事业单位。例如，在国务院所属各类机构中，公安部、工业和信息化部、国家发展和改革委员会等国务院组成部门，工商行政管理总局、国家税务总局、国家知识产权局等国务院直属机构，以及国家公务员局、国家食品药品监督管理局、国家中医药管理局等部委管理的国家局，可以以自己的名义对外作出行政行为，属于行政机关；国务院法制办公室、国务院港澳事务办公室、国务院侨务办公室等国务院办事机构一般不能以自己的名义对外作出行政行为，属于行政机构；而国务院发展研究中心、国家行政学院等国务院直属事业单位，没有行政管理职能,不是行政单位。

在我国,除行政机关外,还有许多具有管理公共事务职能的组织。它们在类别上不在行政机关序列,但是根据法律、法规的授权,承担了行政管理的职能,负责对某项公共事务进行管理,例如中国银行业监督管理委员会、中国证券监督管理委员会、中国保险监督管理委员会、国家电力监管委员会等。这些组织能够以自己的名义行使行政权力,并承担相应的法律责任。具有管理公共事务职能的组织在法律地位上相当于行政机关,适用法律、法规中有关行政机关的实体性和程序性规定。本法第七十条明确了这一准用规则。

与行政处罚权可以委托不同,本法规定行政强制措施权不得委托。因此,查封、扣押只能由行政机关或者具有管理公共事务职能的组织自行实施,行政机关或者具有管理公共事务职能的组织不得委托其他组织或者个人实施。

2. 实施查封、扣押必须有法律、法规的明确授权。查封、扣押权是限制当事人财产权的行政权力,按照职权法定原则,就特定事项实施查封、扣押,必须由法律、法规就该事项明确授权,并符合法律、法规规定的对象和条件。并不是所有行政机关或者具有管理公共事务职能的组织都自然拥有查封、扣押权。法律、法规授予了某机关或者组织对某事项的行政管理权,并不意味着该机关或者组织自然取得了相应的查封、扣押权。法律、法规根据管理的需要,对有些事项设定了查封、扣押措施,负责管理此事项的机关或者组织就拥有了查封、扣押权。例如,证券法第一百八十条授权国务院证券监督管理机构对可能被转移、隐匿或者毁损的文件和资料,可以予以封存;对有证据证明已经或者可能转移或者隐匿违法资金、证券等涉案财产或者隐匿、伪造、毁损重要证据的,经国务院证券监督管理机构主要负责人批准,可以冻结或者查封。法律、法规对有些事项没有设定查封、扣押措施,负责管理此项事务的机关或者组织就没有查封、扣押权。例如,教育法没有设定查封、扣押措施,因此教育行政部门就没有查封、扣押权。

按照本条规定,行政机关必须有法律、行政法规、地方性法规授予的查封、扣押权,才能实施相应的查封、扣押措施,规章及其他规范性文件的规定不能作为授权依据。具有管理公共事务职能的组织必须有法律、行政法规授予的查封、扣押权,才能实施相应的查封、扣押措施,地方性法规、规章及其他规范性文件的规定不能作为授权依据。行政机关没有法律、行政法规、地方性法规规定的查封、扣押权,具有管理公共事务职能的组织或者其他组织没有法律、行政法规授予的查封、扣押权,而实施查封、扣押措施的,属于违法行为,应当承担相应的法律责任。

第二十三条　查封、扣押限于涉案的场所、设施或者财物,不得查封、扣押与违法行为无关的场所、设施或者财物;不得查封、扣押公民个人及其所扶养家属的生活必需品。

当事人的场所、设施或者财物已被其他国家机关依法查封的,不得重复查封。

【释义】　本条是关于查封、扣押对象的规定。

实施查封、扣押，既要达到维护正常行政管理秩序的目的，也要注重公民、法人和其他组织权益的保护。因此，实施查封、扣押，必须在必要的限度内。查封、扣押的对象应限定于为实现制止违法行为、防止证据损毁、避免危害发生、控制危险扩大等行政管理目的必须要查封、扣押的场所、设施或者财物，不能毫无范围限制，任意查封、扣押。为此，本条对查封、扣押的对象规定了“三个不得”的限制：一是不得查封、扣押与违法行为无关的场所、设施或者财物；二是不得查封、扣押公民个人及其所扶养家属的生活必需品；三是不得重复查封已被其他国家机关依法查封的场所、设施或者财物。

1. 不得查封、扣押与违法行为无关的场所、设施或者财物。查封、扣押限于涉案的场所、设施或者财物，不得查封、扣押与违法行为无关的场所、设施或者财物。涉案的场所、设施或者财物，是指违法者从事违法行为所使用的场所、设施或者财物，以及违法所得、非法持有的违禁品等与违法行为有关的场所、设施或者财物。其他法律、法规对查封、扣押的范围有更严格的限制性规定的，应当依照该法律、法规的规定执行。例如，治安管理处罚法第八十九条规定，公安机关办理治安案件，对与案件有关的需要作为证据的物品，可以扣押；对被侵害人或者善意第三人合法占有的财产，不得扣押，应当予以登记；对与案件无关的物品，不得扣押。

2. 不得查封、扣押公民个人及其所扶养家属的生活必需品。公民的生存权是一项基本人权，任何情况下都应当予以保障，无论其是否存在违法行为。为保证公民个人及其所扶养家属能够维持基本生活,对涉案的场所、设施或者财物实施查封、扣押时,对公民个人及其所扶养家属的生活必需品,应当予以保留,不得实施查封、扣押。对此,我国民事诉讼法的执行程序也有类似规定。按照最高人民法院《关于人民法院民事执行中查封、扣押、冻结财产的规定》的规定,生活必需品包括:公民个人及其所扶养家属生活所必需的衣服、家具、炊具、餐具及其他家庭生活必需的物品;公民个人及其所扶养家属完成义务教育所必需的物品;公民个人及其所扶养家属用于身体缺陷所必需的辅助工具、医疗物品等。

3. 不得重复查封已被其他国家机关依法查封的场所、设施或者财物。查封场所、设施或者财物由于不转移物的占有,一般只是加贴封条,实践中会产生重复查封的情况。国家机关重复查封同一场所、设施或者财物,会造成不同主体间的权力冲突,损害国家机关的形象。因此,法律必须明确禁止。如果当事人的场所、设施或者财物已被某一国家机关依法查封,该场所、设施或者财物就处于该国家机关的控制中,其他机关或者组织通过查封所要达到的行政管理目的也就实现了,因此,也没有必要再对该场所、设施或者财物采取查封措施。

第二十四条　行政机关决定实施查封、扣押的,应当履行本法第十八条规定的程序,制作并当场交付查封、扣押决定书和清单。

查封、扣押决定书应当载明下列事项:

(一)当事人的姓名或者名称、地址;

(二)查封、扣押的理由、依据和期限;

(三)查封、扣押场所、设施或者财物的名称、数量等;

(四)申请行政复议或者提起行政诉讼的途径和期限;

(五)行政机关的名称、印章和日期。

查封、扣押清单一式二份,由当事人和行政机关分别保存。

【释义】 本条是关于查封、扣押实施程序的规定。

实施查封、扣押需要履行法定程序,除本法第十八条规定的一般程序外,还需要履行本条规定的制作并当场交付查封、扣押决定书和清单的程序。综合两条规定,实施查封、扣押,需要履行如下程序:

1. 实施前的批准程序。实施查封、扣押前须向行政机关负责人报告并经其批准。这是行政机关的内部报批程序。查封、扣押是一项对当事人权益影响重大的行政权力,因此必须慎之又慎,必须履行严格的报批程序,不能仅凭一两个工作人员的意见就对当事人的财产实施查封、扣押。同时,为保证行政机关的灵活性和行政行为的及时性,法律对紧急情况下实施行政强制措施也作了例外规定。根据本法第十九条的规定,情况紧急,需要当场实施行政强制措施的,行政执法人员应当在二十四小时内向行政机关负责人报告,并补办批准手续。行政机关负责人认为不应当采取行政强制措施的,应当立即解除。

2. 实施时的主体要求。包括两个方面:一是要由两名以上行政执法人员实施,并出示执法身份证件。根据本法第十七条第三款的规定,行政强制措施应当由行政机关具备资格的行政执法人员实施,其他人不得实施。由两名以上行政执法人员实施,既可以保证执法效果,又便于互相监督。出示执法身份证件,可以证明执法人员的合法身份,保证执法行为的规范性和权威性。二是实施查封、扣押时需通知当事人到场,当事人不到场的,邀请见证人到场。当事人到场,可以及时对查封、扣押行为提出异议,执法人员也可以及时予以处理,从而起到监督执法行为、提高执法效率、避免事后纠纷的作用。

3. 告知有关情况,听取陈述、申辩。行政机关应当当场告知当事人采取查封、扣押措施的理由、依据以及当事人依法享有的权利、救济途径;听取当事人的陈述和申辩。当事人享有知情权和参与权是正当程序的基本要求。(1)当事人有权获知采取查封、扣押措施的理由、依据以及当事人依法享有的权利、救济途径。这说明行政行为的理由、依据是行政程序的一项基本制度。通过说明理由和依据,可以减少当事人的抗拒心理,避免形成对立;也可以防止行政机关在没有充分理由和依据的情况下作出行政决定,从而保证行政决定的合法性。(2)当事人有权进行陈述和申辩,有权提出有利于自己的证据,驳斥不利于自己的事实。行政机关必须充分听取当事人的意见并予以认真考虑,当事人提出的事实、理由和证据经复核成立的,行政机关应当采纳。陈述和申辩程序有利于行政机关发现事实真相,作出公正的决定,同时也使决定容易为各方接受,容易得到执行,因而也能起到提高行政效率的作用。

4. 制作现场笔录。现场笔录,顾名思义,是行政执法人员在查封、扣押现场制作的笔录。现场笔录的内容是行政执法人员在查封、扣押现场所耳闻目睹的或者借助仪器检测到的有关财产的状况、查封扣押的实施过程、当事人的异议或者反抗等情况。现场笔录应全面客观地反映查封、扣押现场的有关事实,保证所记录内容的真实性和完整性。制作现场笔录一是可以记录查封、扣押的过程,以便存入案卷备查;二是可以保存第一手证据,以便事后出现纠纷时,证明有关事实。因此,本法对现场笔录作了严格规定。现场笔录必须由行政执法人员在查封、扣押现场制作,并由当事人和行政执法人员签名或者盖章。当事人拒绝签名或者盖章的,行政执法人员应当在笔录中注明。当事人不到场的,行政执法人员应当邀请见证人到场,由见证人和行政执法人员在现场笔录上签名或者盖章,以避免因只有行政执法人员一方的签字或者盖章而影响现场笔录的证明力。

5. 当场交付查封、扣押决定书。查封、扣押决定书是作出查封、扣押决定的法律文书,是采取查封、扣押措施的书面凭证,当事人对查封、扣押措施不服的可以据此申请行政复议或者提起行政诉讼。因此,除本法第十九条规定的紧急情况外,查封、扣押决定书必须当场交付当事人,行政机关不得以任何理由拒绝或者拖延交付查封、扣押决定书。查封、扣押决定书包括五项法定内容,缺一不可:(1)当事人的姓名或者名称、地址。当事人是自然人的,载明其姓名和地址;当事人是法人或者其他组织的,载明其名称和地址。(2)查封、扣押的理由、依据和期限。需要注意的是,查封、扣押的理由和依据是应当当场告知当事人的事项，在查封、扣押决定书中除了要载明这两个事项外，还要载明查封、扣押的期限。与口头形式相比，书面形式可以更为准确、详细地阐述和确定查封、扣押的理由、依据和期限，便于当事人留存证据，也为将来复议机关或者人民法院审查其合法性提供基础。（3）查封、扣押场所、设施或者财物的名称、数量等。与查封、扣押清单相比，查封、扣押决定书中的所查封、扣押财产的信息可以较为简要，只包括所查封、扣押场所、设施或者财物的名称、数量等信息，详细信息应当在查封、扣押清单中列明。（4）申请行政复议或者提起行政诉讼的途径和期限。除了要当场告知当事人救济途径，为保证当事人清楚自己享有的申请救济的权利，并在法定期限内及时行使，查封、扣押决定书中既要载明申请行政复议或者提起行政诉讼的途径，也要载明其各自期限。（5）行政机关的名称、印章和日期。行政机关的名称、印章表明其作出主体，是证明其效力和权威的关键所在；查封、扣押决定书的落款日期，表明查封、扣押决定的作出日期。以上事项都是一份查封、扣押决定书必不可少的组成部分。

6. 当场交付查封、扣押清单。查封、扣押清单是记载被查封、扣押财产的详细情况的书面凭证。对查封、扣押的财产，行政执法人员应当会同当事人或者见证人查点清楚，当场开列查封、扣押清单。清单应当尽可能涵盖所查封扣押财产的名称、材料、规格、质地、数量等详细情况，并保证有关信息准确无误，防止事后出现纠纷。查封、扣押清单应当一式二份，分别由当事人和行政机关保存。

7. 法律、法规规定的其他程序。其他法律、法规规定查封、扣押程序的，行政机关也应当一并遵守。例如《禁止传销条例》第十五条第二款规定："执法人员与当事人有直接利害关系的，应当回避。"

第二十五条　查封、扣押的期限不得超过三十日；情况复杂的，经行政机关负责人批准，可以延长，但是延长期限不得超过三十日。法律、行政法规另有规定的除外。

延长查封、扣押的决定应当及时书面告知当事人，并说明理由。

对物品需要进行检测、检验、检疫或者技术鉴定的，查封、扣押的期间不包括检测、检验、检疫或者技术鉴定的期间。检测、检验、检疫或者技术鉴定的期间应当明确，并书面告知当事人。检测、检验、检疫或者技术鉴定的费用由行政机关承担。

【释义】　本条是关于查封、扣押期限的规定。

期限是指程序主体实施一定行为的时间界限。以期限形成的原因为标准，可以将期限分为法定期限和指定期限。法定期限是指法律直接规定的期限，如本条规定的"查封、扣押的期限不得超过三十日"，即属法定期限。指定期限是指有权机关根据实际情况指定的期限，如行政机关责令当事人限期履行行政决定的期限。为行政行为设定期限是提高行政效率的要求，如果没有期限的约束，行政效率就难以保证。同时，设定期限可以使行政行为具有一定的可预见性，从而使有关各方预先做好相应的安排。查封、扣押是行政机关对公民、法人和其他组织的财产实施的暂时性控制措施。“暂时性”的特征决定了查封、扣押措施的期限是一个较短的期限。行政机关实施查封、扣押措施时，行政机关并没有作出最终的行政决定，此时当事人可能只是有违法嫌疑。因此，查封、扣押的期限应当尽可能缩短，不宜过长。

1. 查封、扣押的一般期限和最长期限。一般情况下，查封、扣押的期限不得超过三十日；情况复杂的，经行政机关负责人批准可以延长，但是延长期限不得超过三十日。因此，查封、扣押的最长期限是六十日。延长查封、扣押期限应当有充足的理由，不能任意延长。实践中，有的行政执法人员作风散漫，效率低下，不在最短的时间内办结案件，总是习惯于延长查封、扣押期限。行政机关负责人应严格把关，严格将期限的延长限制在情况复杂的特殊情况，而不能不管情况是否复杂，一概批准延长，导致所有案件都适用最长期限，给当事人造成不必要的损失。

2. 法律适用上的除外规定。本条规定是对查封、扣押的期限作出的统一规定。考虑到不同行政管理的差异性，有关查封、扣押期限的规定不能搞“一刀切”，因此应允许其他法律、行政法规有特殊规定。按照本条规定，其他法律、行政法规没有规定期限的，应遵照此规定执行；其他法律、行政法规另有规定的，适用其规定。例如《禁止传销条例》第十八条规定：“工商行政管理部门实施查封、扣押的期限不得超过30日；案件情况复杂的，经县级以上工商行政管理部门主要负责人批准，可以延长15日。”又如《无照经营查处取缔办法》第十一条规定:“工商行政管理部门实施查封、扣押的期限不得超过15日;案件情况复杂的,经县级以上工商行政管理部门主要负责人批准,可以延长15日。”

3. 检测、检验、检疫或者技术鉴定。由于检测、检验、检疫或者技术鉴定的时间一般较长,如果算入查封、扣押期间,可能会超过查封、扣押的期限;即使未超过,也会大大挤占行政机关的工作时间,使行政机关难以在规定的期限内完成案件调查处理等工作。因此,对检测、检验、检疫或者技术鉴定的期间,法律一般不将其纳入法定期间。根据本条规定,查封、扣押的期间不包括检测、检验、检疫或者技术鉴定的期间。换言之,对物品进行检测、检验、检疫或者技术鉴定的,查封、扣押实际持续的时间将超过六十日。需要指出的是,检测、检验、检疫或者技术鉴定,不能成为变相延长查封、扣押期限的手段。根据本条规定,物品的检测、检验、检疫或者技术鉴定,以“需要”为限,不得任意进行。有关机构应当在最短时间内完成检测、检验、检疫或者技术鉴定,不得故意拖延。关于检测、检验、检疫或者技术鉴定的费用,本条延续了行政许可法的规定,明确检测、检验、检疫或者技术鉴定的费用由行政机关承担。这对行政机关从事检测、检验、检疫或者技术鉴定活动也是一个限制,可以减少行政机关从事此类活动的随意性。

4. 行政机关的告知义务。行政机关实施查封、扣押过程中需履行的告知义务包括两项:一是将延长查封、扣押的决定告知当事人。延长决定应当及时以书面形式告知当事人,并说明延长理由。二是将检测、检验、检疫或者技术鉴定的期间以书面形式告知当事人。行政机关告知当事人的期间，应当是一个明确的期间，不得使用含混、模糊的字眼，从而使当事人难以确定检测、检验、检疫或者技术鉴定所需的时间。规定行政机关的告知义务，是为了使当事人对行政机关的相关活动有预知，从而可以预先做好相应的安排。

根据本法第六十九条的规定，本法中十日以内期限的规定是指工作日，不含法定节假日。本条规定的是十日以上的期限，因此本条的期限是指自然日，既包括工作日，也包括休息日。根据民事诉讼法有关期间的规定，期间以日计算的，期间开始的日，不计算在期间内，而是从期间开始的次日起算。

第二十六条　对查封、扣押的场所、设施或者财物，行政机关应当妥善保管，不得使用或者损毁；造成损失的，应当承担赔偿责任。

对查封的场所、设施或者财物，行政机关可以委托第三人保管，第三人不得损毁或者擅自转移、处置。因第三人的原因造成的损失，行政机关先行赔付后，有权向第三人追偿。

因查封、扣押发生的保管费用由行政机关承担。

【释义】　本条是关于保管查封、扣押的财物的规定。

1. 行政机关保管。一般情况下，查封、扣押的场所、设施或者财物由行政机关保管。行政机关应当妥善保管，尽到应有的注意义务，并不得擅自使用或者损毁。因行政机关的原因造成损失的，行政机关应当承担赔偿责任。

2. 委托第三人保管。对查封的场所、设施或者财物，行政机关可以委托第三人保管。行政机关委托第三人保管时，第三人不得使用该场所、设施或者财物，不得损毁或者擅自转移。因第三人的原因造成损失的，由于行政机关和第三人之间存在委托关系，而当事人和第三人之间不存在委托关系，应当由行政机关向当事人先行赔付。行政机关先行赔付后，可以根据本法和委托协议，向第三人追偿。

3. 保管费用由行政机关承担。因行政管理支出的费用，原则上由行政机关承担，法律规定由当事人承担的除外。这里的保管费用是因行政机关采取查封、扣押措施产生的费用，同时为避免行政机关通过收取高额保管费谋取不正当利益，本法规定保管费用由行政机关承担。行政机关不得以任何形式变相向当事人收取保管费用。

第二十七条　行政机关采取查封、扣押措施后，应当及时查清事实，在本法第二十五条规定的期限内作出处理决定。对违法事实清楚，依法应当没收的非法财物予以没收；法律、行政法规规定应当销毁的，依法销毁；应当解除查封、扣押的，作出解除查封、扣押的决定。

【释义】 本条是关于查封、扣押后财物处理的规定。

查封、扣押是行政机关对公民、法人和其他组织的财产实施的暂时性控制措施。为避免查封、扣押法定期限届满时，对违法行为的查处还没有完成，导致查封、扣押目的落空，行政机关采取查封、扣押措施后，应当尽快查清事实，在查封、扣押期限内及时作出处理决定，对查封、扣押的财物作出相应处理。对违法事实清楚,依法应当没收的非法财物予以没收;法律、行政法规规定应当销毁的,依法销毁;对有本法第二十八条规定情形的,立即解除查封、扣押。

1. 及时查清事实,在查封、扣押法定期限内作出处理决定。行政机关办理行政案件并实施查封、扣押措施时,会涉及两个期限。一是整个案件的办理期限。例如《公安机关办理行政案件程序规定》第一百四十一条规定:"公安机关办理治安案件的期限,自受理之日起不得超过三十日;案情重大、复杂的,经上一级公安机关批准,可以延长三十日。其他行政案件,有法定办案期限的,按照法定期限办理。"二是查封、扣押措施的期限。对此,本法第二十五条规定:"查封、扣押的期限不得超过三十日;情况复杂的,经行政机关负责人批准,可以延长,但是延长期限不得超过三十日。法律、行政法规另有规定的除外。"办案期限从案件受理之日起开始计算,一个案件一个办案期限。而查封、扣押期限从查封、扣押之日起开始计算,一个案件可能在不同时间对不同财物实施多次查封、扣押,因此可能涉及多个查封、扣押期限。办案期限一般长于查封、扣押期限,也可能发生重合。为了充分发挥查封、扣押措施的作用,行政机关办理行政案件时应当提高办案效率,尽可能缩短办案期限,不仅要遵守行政案件的办理期限,也要遵守查封、扣押的期限。行政机关应当尽可能在查封、扣押期限内对违法行为作出是否予以处罚等决定;来不及作出的,应当依法对查封、扣押的财物作出处理或者解除查封、扣押。一些行政法规对此也有规定,例如《禁止传销条例》第十九条规定:

工商行政管理部门实施查封、扣押，应当及时查清事实，在查封、扣押期间作出处理决定。对于经调查核实属于传销行为的，应当依法没收被查封、扣押的非法财物；对于经调查核实没有传销行为或者不再需要查封、扣押的，应当在作出处理决定后立即解除查封，退还被扣押的财物。工商行政管理部门逾期未作出处理决定的，被查封的物品视为解除查封，被扣押的财物应当予以退还。《无照经营查处取缔办法》第十二条规定：工商行政管理部门应当在查封、扣押期间作出处理决定。工商行政管理部门逾期未作出处理决定的，视为解除查封、扣押。对于经调查核实没有违法行为或者不再需要查封、扣押的，工商行政管理部门在作出处理决定后应当立即解除查封、扣押。

2. 对违法事实清楚，依法应当没收的非法财物予以没收。非法财物包括违禁物品和直接用于实施违法行为的工具等。例如《公安机关办理行政案件程序规定》第一百六十条规定，公安机关应当收缴的非法财物包括：毒品、淫秽物品等违禁品；赌具和赌资；吸食、注射毒品的器具；伪造、变造的公文、证件、证明文件、票证、印章等；倒卖的有价票证；直接用于实施违法行为的本人所有的工具；其他法律、法规规定可以收缴的非法财物。对非法财物应当依法予以没收。由于没收是较为严厉的行政处罚，同时没收决定往往与执行同步进行，因此本条规定没收的前提是违法事实清楚，依法应当没收的非法财物。例如邮政法第七十九条规定："冒用邮政企业名义或者邮政专用标志，或者伪造邮政专用品或者倒卖伪造的邮政专用品的，由邮政管理部门责令改正，没收伪造的邮政专用品以及违法所得，并处一万元以上五万元以下的罚款。”

3. 对法律、行政法规规定应当销毁的，依法销毁。在依法没收的非法财物中，法律、行政法规规定应当销毁的，应当依法予以销毁。销毁的对象限于毒品、淫秽物品等违禁品和法律、行政法规规定应当销毁的其他非法财物。例如，药品管理法第四十二条规定：“已被撤销批准文号或者进口药品注册证书的药品，不得生产或者进口、销售和使用；已经生产或者进口的，由当地药品监督管理部门监督销毁或者处理。”

4. 应当解除查封、扣押的，作出解除查封、扣押的决定。根据本法第二十八条的规定，在当事人没有违法行为、财物与违法行为无关、期限届满等情形下，行政机关应当及时作出解除查封、扣押的决定。

第二十八条　有下列情形之一的，行政机关应当及时作出解除查封、扣押决定：

（一）当事人没有违法行为；

（二）查封、扣押的场所、设施或者财物与违法行为无关；

（三）行政机关对违法行为已经作出处理决定，不再需要查封、扣押；

（四）查封、扣押期限已经届满；

（五）其他不再需要采取查封、扣押措施的情形。

解除查封、扣押应当立即退还财物；已将鲜活物品或者其他不易保管的财物拍卖或者变卖的，退还拍卖或者变卖所得

款项。变卖价格明显低于市场价格，给当事人造成损失的，应当给予补偿。

【释义】　本条规定了查封、扣押的解除以及解除后财物的处理。

查封、扣押是常见的行政强制措施，是行政机关为查处违法行为或者防止危害扩大而采取的，是行政机关必不可少的手段，但同时查封、扣押涉及对公民、法人和其他组织财产权的限制，错误查封、扣押将损害公民、法人和其他组织的合法权益。错误查封、扣押的表现形式之一是解除查封、扣押条件满足时，行政机关却不解除查封、扣押。因此查封、扣押除应当遵循本法第二十二条到第二十七条的规定外，还应当遵循本条及时解除查封、扣押的规定。

本条规定了行政机关应当及时解除查封、扣押的五种情形，当出现其中的任何一种情形时，行政机关都应当及时作出解除查封、扣押决定，并退还财物。这五种情形分别是：

1. 当事人没有违法行为。采用查封、扣押，主要目的就是为了制止违法行为。经过行政机关调查后，如果当事人没有违法行为，查封、扣押的前提也就不存在了，行政机关应当解除查封、扣押。本法第六十二条对扩大查封、扣押范围的，规定了由上级行政机关或者有关部门责令改正，对直接负责的主管人员和其他直接责任人员依法给予处分的法律责任。

2. 查封、扣押的场所、设施或者财物与违法行为无关。本法第二十三条规定，查封、扣押限于涉案的场所、设施或者财物，不得查封、扣押与违法行为无关的场所、设施或者财物。

行政机关实施查封、扣押的目的在于查处违法行为，查封、扣押与违法行为无关的场所、设施或者财物不能实现查封、扣押的目的，有可能损害行政相对人的合法权益，因此一旦发现被查封、扣押的场所、设施或者财物与违法行为无关的，行政机关应当解除查封、扣押。

3. 行政机关对违法行为已经作出处理决定，不再需要查封、扣押。行政强制措施的一个属性就是对财产的暂时性控制，而不涉及对财产的最终处分。行政机关经过调查，如果认为行政相对人已经构成违法，将作出行政处罚等行政处理决定。如果决定没收非法财物，此时查封、扣押的财物将直接没收；如果作出了吊销营业执照等行政处罚，而处罚内容不涉及查封、扣押的财物的，那么对于这些不再需要查封、扣押的财物，行政机关应当解除查封、扣押。

4. 查封、扣押期限已经届满。为了充分发挥查封、扣押措施的作用，行政机关作出行政处理决定时应当注重及时性原则，不仅要遵循办理行政案件的法定期限，也应当尽可能在查封、扣押的法定期限内作出案件处理决定。行政机关应当采取多种措施，防止出现查封、扣押的法定期限届满时，案件处理决定还无法作出，待案件处理决定作出时，查封、扣押措施因期限届满已依法解除的情形。需要注意的是，本条中的“处理决定”与第二十七条中的“处理决定”不同，第二十七条的处理决定是对财物的处理决定，本条第三项是对违法行为，即案件最终的处理决定。本法第六十二条规定对查封、扣押法定期间不作出处理决定或未依法及时解除查封、扣押的，由上级行政机关或者有关部门责令改正，对直接负责的主管人员和其他直接责任人员依法给予处分的法律责任。

5. 其他不再需要采取查封、扣押措施的情形。这一项属于兜底条款，规定了其他不再需要采取查封、扣押措施的情形。如查封、扣押的鲜活物品或者其他不易保管的财物腐烂变质的，继续查封、扣押的意义不大，此时行政机关就应当解除查封、扣押。

解除查封、扣押的，应当立即退还财物。行政机关在查清当事人没有违法行为或者查封、扣押的条件消失不再需要采取查封、扣押措施的，应当及时作出解除查封、扣押的决定，并退还扣押财物。对已依法拍卖或者变卖的，依法退回拍卖、变卖所得。在扣押期间，为了防止被扣押的鲜活物品或者其他不易保管的财物价值丧失，行政机关可以依照法律规定拍卖或者变卖这些财物。拍卖是采用公开竞价的方式将标的物卖给出价最高的买主，一般能够获得最大限度的变价，而变卖是对查封、扣押的财物强制出卖的一种措施。行政机关解除查封、扣押后，应当退还拍卖、变卖所得款项。由于变卖是依照市场行情将财物卖掉，有较大的随意性，为了防止行政机关不当处理，损害当事人的合法权益，对于变卖价格明显低于市场价格，给当事人造成损失的，本条规定行政机关对当事人的损失应当给予补偿。需要注意的是，这里的表述是“补偿”而非“赔偿”。本法第二十六条规定，对查封、扣押的场所、设施或者财物，行政机关未妥善保管，造成损失的，应当承担赔偿责任。根据国家赔偿法第四条的规定，行政机关及其工作人员在行使行政职权时,违法对财产采取查封、扣押、冻结等行政强制措施的,受害人有取得赔偿的权利。取得赔偿的前提是“违法”行使职权;而本条规定的情形是变卖价格明显低于市场价格,给当事人造成损失,不存在“违法”前提或情节较轻,因此这里是“补偿”。

第三节 冻结

第二十九条 冻结存款、汇款应当由法律规定的行政机关实施,不得委托给其他行政机关或者组织;其他任何行政机关或者组织不得冻结存款、汇款。

冻结存款、汇款的数额应当与违法行为涉及的金额相当;已被其他国家机关依法冻结的,不得重复冻结。

【释义】 本条是关于冻结的实施主体、数额限制及不得重复冻结的规定。

冻结存款、汇款既关系到金融机构的信用,又关系到公民、法人和其他组织的财产安全,应当予以严格限制。金融机构的资产主要来源于储蓄存款,人们储蓄存款的主要目的是获得资金安全。如果过多过滥使用冻结手段,会使人们认为将资金存入金融机构或者通过金融机构汇兑并不安全,从而产生不信任,进而导致金融信用无从建立、金融业无从发展。

本条从三个方面对冻结存款、汇款作了规范。

1. 实施主体只能是法律明确规定有冻结权的行政机关和法律授权的具有管理公共事务职能的组织。法律上将冻结权实施主体限于法律规定的单位或者个人始于商业银行法。

该法第二十九条规定:“商业银行办理个人储蓄存款业务,应当遵循存款自愿、取款自由、存款有息、为存款人保密的原则。对个人储蓄存款,商业银行有权拒绝任何单位或者个人查询、冻结、扣划,但法律另有规定的除外。”第三十条规定:“对单位存款,商业银行有权拒绝任何单位或者个人查询,但法律、行政法规另有规定的除外;有权拒绝任何单位或者个人冻结、扣划,但法律另有规定的除外。”这两个条文区分了个人储蓄存款和单位存款,但对于冻结存款的实施主体,都规定由法律规定。行政强制法延续了这一立法先例。

根据本条规定,除了全国人民代表大会及其常务委员会外,其他国家机关无权规定某一单位享有冻结存款、汇款的权力;除了法律外,其他法的形式和规范性文件无权规定某一单位享有冻结存款、汇款的权力;经由法律授予冻结权的行政机关应当自己实施冻结权,不得将此权力委托给其他行政机关或组织实施;未经法律授予冻结权的行政机关或组织无权实施冻结存款、汇款;任何个人无权冻结存款、汇款。

另外,本法第七十条规定:“法律、行政法规授权的具有管理公共事务职能的组织在法定授权范围内,以自己的名义实施行政强制,适用本法有关行政机关的规定。”依照本条规定,法律授权的具有管理公共事务职能的组织也可以成为冻结存款、汇款的实施主体。如证券法第一百八十条规定,国务院证券监督管理机构依法履行职责,有权查询当事人和与被调查事件有关的单位和个人的资金账户、证券账户和银行账户;对有证据证明已经或者可能转移或者隐匿违法资金、证券等涉案财产或者隐匿、伪造、毁损重要证据的，经国务院证券监督管理机构主要负责人批准，可以冻结或者查封。

2. 冻结存款、汇款的数额应当与违法行为涉及的金额相当。本法第五条规定，行政强制措施的设定和实施应当适当，这体现了比例原则。比例原则要求行政行为的具体方式和幅度应该与行政目的成比例、相匹配。冻结存款、汇款是行政机关履行行政管理职能的有效手段，但同时也会对公民、法人和其他组织的财产权利构成威胁，需要在保障行政效率、实现行政目的和保护当事人的合法权益之间做到合乎比例。应当适当，具体说就是冻结的数额不能超过涉案的金额。

3. 不得重复冻结原则。本条规定，已被其他国家机关冻结的，不得再次冻结。中国人民银行于 2002 年制定的《金融机构协助查询、冻结、扣划工作管理规定》规定，两个以上有权机关对同一单位或个人的同一笔存款采取冻结或扣划措施时，金融机构应当协助最先送达协助冻结、扣划存款通知书的有权机关办理冻结、扣划手续；两个以上有权机关对金融机构协助冻结、扣划的具体措施有争议的，金融机构应当按照有关争议机关协商后的意见办理。由于冻结的对象是存款、汇款，所以如果某个账号或者某项汇款已经被冻结了一部分，则剩余部分依然可以冻结，与不得重复冻结原则不相矛盾。

另外，行政监察法、保险法、银行业监督管理法、审计法、证券投资基金法等法律和《外汇管理条例》、《禁止传销条例》等行政法规，授予了一些行政机关在特定情况下可以申请法院冻结的权力。如行政监察法第二十一条规定：“监察机关在调查贪污、贿赂、挪用公款等违反行政纪律的行为时，经县级以上监察机关领导人员批准，可以查询案件涉嫌单位和涉嫌人员在银行或者其他金融机构的存款；必要时，可以提请人民法院采取保全措施，依法冻结涉嫌人员在银行或者其他金融机构的存款。”再如，银行业监督管理法第四十一条规定：“经国务院银行业监督管理机构或者其省一级派出机构负责人批准，银行业监督管理机构有权查询涉嫌金融违法的银行业金融机构及其工作人员以及关联行为人的账户；对涉嫌转移或者隐匿违法资金的，经银行业监督管理机构负责人批准，可以申请司法机关予以冻结。”在立法过程中，本条曾有一款专门规定申请法院冻结事宜。后来考虑到申请法院冻结不适用本节程序，故没再涉及行政机关申请法院冻结的问题，行政机关、司法机关及金融机构可以依照其他法律的规定办理。

第三十条　行政机关依照法律规定决定实施冻结存款、汇款的，应当履行本法第十八条第一项、第二项、第三项、第七项规定的程序，并向金融机构交付冻结通知书。

金融机构接到行政机关依法作出的冻结通知书后，应当立即予以冻结，不得拖延，不得在冻结前向当事人泄露信息。

法律规定以外的行政机关或者组织要求冻结当事人存款、汇款的，金融机构应当拒绝。

【释义】　本条是关于行政机关实施冻结的程序以及金融机构配合冻结义务的规定。

一、行政机关实施冻结的程序

本法第三章第一节规定了实施行政强制措施的一般程

序，适用于包括查封、扣押、冻结在内的所有行政强制措施。但是，冻结有其独特性，比如要防止当事人转移资金、需要得到金融机构配合等。因此，冻结的实施程序理应有别于一般程序性规定。本条第一款旨在排除适用第十八条的部分款项。根据本条规定，行政机关实施冻结应当遵守下列程序：实施前须向行政机关负责人报告并经批准；由两名以上行政执法人员实施；出示执法身份证件；制作现场笔录，现场笔录载明的事项一般包括冻结的时间、地点，实施冻结的单位和个人，被冻结的单位和个人，协助冻结的单位和个人，冻结的具体事项等。除此之外，行政机关实施冻结无须遵守第十八条的其他几项规定，即无须通知当事人到场；无须当场告知当事人采取行政强制措施的理由、依据以及当事人依法享有的权利、救济途径；无须当场听取当事人的陈述和申辩；现场笔录无须由当事人签名或者盖章；无须邀请见证人到场，无须由见证人在现场笔录上签名或者盖章。当然，本条仅仅是排除适用第三章第一节第十八条的部分规定，没有排除适用有关行政强制措施程序一般规定的其他条文。

行政机关应当向金融机构交付冻结通知书。为了规范冻结行为，防止行政执法人员随意冻结，冻结决定应当以书面的形式通知金融机构。在实践中，行政机关要求金融机构协助冻结的书面凭证多表现为协助冻结通知书或冻结通知书等，载有协助冻结单位的名称、冻结的法律依据、冻结的财产所在机构的名称和地址、冻结数额、冻结起止时间、其他需要说明的事项、决定冻结机关的公章和日期等信息。作为金融机构，为了保护存款人的利益，对待有关冻结也十分谨慎，如《金融机构协助查询、冻结、扣划工作管理规定》要求经办人员办理协助冻结业务时，应当核实以下证件和法律文书：有权机关执法人员的工作证件；有权机关县团级以上机构签发的协助冻结存款通知书，法律、行政法规规定应当由有权机关主要负责人签字的，应当由主要负责人签字；人民法院出具的冻结存款裁定书、其他有权机关出具的冻结存款决定书。需要说明的是，实践中行政机关要求金融机构协助冻结的书面文书的名称各地有所差别，本条第一款将其统一规定为冻结通知书，今后，应当按照本款的精神逐步统一名称。

二、金融机构配合行政机关实施冻结的义务

金融机构是指依法经营存款业务的金融机构（含外融机构），包括商业银行、政策性银行、城市和农村信用合作社、邮政储蓄机构等。冻结存款、汇款需要金融机构的协助，既要考虑行政管理效率，也要考虑金融机构的性质和正常业务开展。

1. 金融机构接到冻结通知书后，应当立即协助冻结，在冻结期限内禁止单位或个人提取被冻结的存款或者汇款。之所以要求金融机构接到书面冻结通知后立即实施冻结、不得拖延，是为了防止当事人转移或者隐匿资金，进而保证行政执法活动的顺利开展。实践中，具体办理协助冻结存款的是存款人开户的营业分支机构。营业机构一般会确定专职部门或专职人员，负责接待要求协助查询、冻结和扣划的有权机关，以便及时处理协助冻结事宜。

2. 金融机构不得在冻结前向当事人泄露信息。随着信息科技的快速发展，资金流动方式越来越方便、快捷，自动存取款机、网上银行等交易工具的出现，使得大笔资金在触摸按键和点击鼠标中即会实现转移。在此情况下，即便是在实施冻结前很短的时间内，当事人也可能会转移资金，使得冻结落空。因此，禁止金融机构在实施冻结前泄露冻结信息尤为必要。《金融机构协助查询、冻结、扣划工作管理规定》要求金融机构在接到协助冻结存款通知书后，不得再扣划应当协助执行的款项用于收贷收息，不得向被冻结单位或个人通风报信，帮助隐匿或转移存款；在协助有权机关办理完毕查询存款手续后，有权机关要求予以保密的，金融机构应当保守秘密；在协助有权机关办理完毕冻结、扣划存款手续后，根据业务需要可以通知存款单位或个人。

3. 金融机构有权拒绝法律规定以外的行政机关或者组织的冻结要求。根据我国法律规定，有冻结权的行政机关主要是税务机关、海关、公安机关、国家安全机关等。如税收征收管理法第三十八条规定："税务机关有根据认为从事生产、经营的纳税人有逃避纳税义务行为的，可以在规定的纳税期之前，责令限期缴纳应纳税款；在限期内发现纳税人有明显的转移、隐匿其应纳税的商品、货物以及其他财产或者应纳税的收入的迹象的，税务机关可以责成纳税人提供纳税担保。如果纳税人不能提供纳税担保，经县以上税务局（分局）局长批准，税务机关可以采取下列税收保全措施：（一）书面通知纳税人开户银行或者其他金融机构冻结纳税人的金额相当于应纳税款的存款；（二）扣押、查封纳税人的价值相当于应纳税款的商品、货物或者其他财产。”除了这些行政机关以外，其他行政机关、组织不得要求金融机构冻结存款、汇款，否则，金融机构有权拒绝。

需要说明的是，金融机构对行政机关依照法律规定实施冻结没有义务进行实质审查，只要有关法律文书齐全、符合法定形式要件，就应当协助办理冻结。一般而言，金融机构在协助冻结单位或个人存款时，应当审查以下内容：协助冻结通知书填写的需被冻结存款、汇款的单位或个人开户或者汇款金融机构名称、户名和账号、大小写金额；协助冻结通知书上的义务人应与所依据的法律文书上的义务人相同；协助冻结通知书上的冻结金额应当是确定的。如发现缺少应附的法律文书，以及法律文书有关内容与协助冻结通知书的内容不符，应说明原因，退回协助冻结存款通知书或所附的法律文书。

第三十一条　依照法律规定冻结存款、汇款的，作出决定的行政机关应当在三日内向当事人交付冻结决定书。冻结决定书应当载明下列事项：

（一）当事人的姓名或者名称、地址；

（二）冻结的理由、依据和期限；

（三）冻结的账号和数额；

（四）申请行政复议或者提起行政诉讼的途径和期限；

（五）行政机关的名称、印章和日期。

【释义】　本条是关于冻结决定书交付期限及其内容的规定。

冻结决定书是行政机关作出冻结决定这一具体行政行为的书面载体，是正式的法律文书。冻结决定书的交付期限为作出决定后的三日内。考虑到转移资金的即时性和隐蔽性，依法冻结需要立即实施，因此允许冻结决定与冻结行为同时进行，事后交付冻结决定书。当然，冻结决定书应当及时交付，本法给予了三日的期限。

冻结决定书应当载明五项法定内容：

一是，当事人的姓名或者名称、地址。当事人是自然人的，应当载明其姓名和地址，冻结决定书上的姓名应当与当事人有关身份证明文件上的姓名一致，以便于金融机构协助冻结；当事人是法人或者其他组织的，应当载明其名称和地址，冻结决定书上的名称应当与当事人有关登记材料上的名称一致。

二是，冻结的理由、依据和期限。冻结的理由是对当事人违法行为的陈述，依据是对法律规范的援引、适用。设定冻结的法律一般会对需要冻结的具体情形作出规定。如海关法第六十一条第一款规定："进出口货物的纳税义务人在规定的纳税期限内有明显的转移、藏匿其应税货物以及其他财产迹象的，海关可以责令纳税义务人提供担保；纳税义务人不能提供纳税担保的，经直属海关关长或者其授权的隶属海关关长批准，海关可以采取下列税收保全措施：（一）书面通知纳税义务人开户银行或者其他金融机构暂停支付纳税义务人相当于应纳税款的存款；（二）扣留纳税义务人价值相当于应纳税款的货物或者其他财产。"海关法的规定，就是海关实施冻结的依据。对冻结理由和依据的阐释,有助于行政相对人明了冻结的合法性和正当性。冻结的期限是指资金被限制流通、使用的持续时间。本法第三十二条规定:“自冻结存款、汇款之日起三十日内,行政机关应当作出处理决定或者作出解除冻结决定;情况复杂的,经行政机关负责人批准,可以延长,但是延长期限不得超过三十日。法律另有规定的除外。”可见,冻结决定上所明确的冻结期限一般不会超过三十天,除非其他法律对冻结期限另有规定。

三是,冻结的账号和数额。冻结的账号一般通过查询获得。根据我国商业银行法的规定,只有法律规定的单位才有权查询个人储蓄存款,只有法律、行政法规规定的单位才有权查询单位存款。对于冻结数额,根据本法规定,应当与违法行为所涉金额相当。

四是,申请行政复议或者提起行政诉讼的途径和期限。根据我国行政复议法的规定,公民、法人或者其他组织认为具体行政行为侵犯其合法权益的,可以自知道该具体行政行为之日起六十日内提出行政复议申请;但是法律规定的申请期限超过六十日的除外。因不可抗力或者其他正当理由耽误法定申请期限的,申请期限自障碍消除之日起继续计算。申请人申请行政复议,可以书面申请,也可以口头申请。除法律、法规另有规定外,复议机关应当在收到申请书之日起两个月内作出决定。根据我国行政诉讼法的规定,公民、法人或者其他组织直接向人民法院提起诉讼的,应当在知道作出具体行政行为之日起三个月内提出,法律另有规定的除外;因不可抗力或者其他特殊情况耽误法定期限的，在障碍消除后的十日内，可以申请延长期限，由人民法院决定。公民、法人或者其他组织不服复议决定的，可以在收到复议决定书之日起十五日内向人民法院提起诉讼；复议机关逾期不作决定的，申请人可以在复议期满之日起十五日内向人民法院提起诉讼，法律另有规定的除外。提起诉讼应当符合下列条件：原告是认为具体行政行为侵犯其合法权益的公民、法人或者其他组织；有明确的被告；有具体的诉讼请求和事实根据；属于人民法院受案范围和受诉人民法院管辖。人民法院接到起诉状，经审查，应当在七日内立案或者作出裁定不予受理。需要说明的是，当事人应当处理好复议和诉讼两种救济途径的关系。根据我国行政复议法的规定，公民、法人或者其他组织申请行政复议，行政复议机关已经依法受理的，或者法律、法规规定应当先向行政复议机关申请行政复议、对行政复议决定不服再向人民法院提起行政诉讼的，在法定行政复议期限内不得向人民法院提起行政诉讼。公民、法人或者其他组织向人民法院提起行政诉讼，人民法院已经依法受理的，不得申请行政复议。

五是，行政机关的名称、印章和日期。行政机关名称应当使用规范全称，与印章及机关登记证件上的名称保持一致。日期应当包括年、月、日，避免只载明月、日或只载明年、月的情况。上述两点都是正式公文规范性和严肃性的要求和体现。

行政机关应当按照本条规定制作冻结决定书，如果缺少某项内容则构成程序违法。

第三十二条 自冻结存款、汇款之日起三十日内，行政机关应当作出处理决定或者作出解除冻结决定；情况复杂的，经行政机关负责人批准，可以延长，但是延长期限不得超过三十日。法律另有规定的除外。

延长冻结的决定应当及时书面告知当事人，并说明理由。

【释义】 本条是关于冻结存款、汇款期限以及延长冻结存款、汇款的规定。

冻结存款、汇款限制了当事人资金的流动性，影响了当事人的生活或者生产经营活动。如果没有期限限制，实践中就会发生长期冻结当事人存款、汇款的情况，造成当事人财产权利的损害。在全国人大常委会审议本法的过程中，许多常委会组成人员提出要明确规定冻结的期限，以便更好地保障当事人的权益。因此，本法对冻结的期限进行了规范。

1. 冻结的期限最长不得超过六十日，除非法律另有规定。一般情况下，冻结的期限不得超过三十日，案情复杂的，经行政机关负责人批准可以延长，但是延长期限不得超过三十日。也就是说，对待延长冻结应特别谨慎，确需延长的可以根据实际情况确定延长期限，如十日、十五日等，但最长不能超过三十日。这是冻结期限的统一规定，其他法律中没有规定冻结期限的，应依照此规定执行，此规定也是今后其他法律在设定冻结期限时应参考的重要法律依据。在本法出台以前，《金融机构协助查询、冻结、扣划工作管理规定》曾对有关冻结期限作出规定,如第十六条规定:“冻结单位或个人存款的期限最长为六个月,期满后可以续冻。有权机关应在冻结期满前办理续冻手续,逾期未办理续冻手续的,视为自动解除冻结措施。”这对督促行政机关抓紧处理相关案件、维护存款人利益起到了积极作用。行政强制法出台后,有关冻结期限问题应当依照本法办理,包括延期冻结的期限在内,冻结的最长期限为六十日,不得再次延长。

处理决定与解除冻结决定是两个不同的行政行为。处理决定针对引起冻结的违法行为,是对违法行为的处理结果。解除冻结决定针对的是所冻结的资金、款项。处理决定与解除冻结决定存在着密切的关系,处理决定是解除冻结决定的缘由之一,解除冻结决定不以处理决定为必要条件。行政机关在冻结期限内就作出处理决定的,如果不再需要冻结,应当及时作出解除冻结决定;行政机关在冻结期限内没有作出处理决定的,行政机关也应当及时作出解除冻结决定。超过冻结期限,金融机构应当自冻结期满之日起解除冻结。

行政机关负责人是指行政机关首长。由于人事原因导致行政首长空位时,主持工作的副职视为行政机关负责人。之所以强调延长冻结决定需要行政机关负责人批准,是为了强化对延长冻结的慎重,进一步降低可能在执法实践中出现的延长冻结的随意性。

2. 冻结期限的例外规定。考虑到不同行政管理的特殊性,有关冻结的期限规定不搞“一刀切”,本法允许其他法律有特殊规定。在此问题的法律适用上,按照一般法和特别法的关系处理，优先适用其他法律的特殊规定。如反洗钱法第二十六条第三款规定："临时冻结不得超过四十八小时。金融机构在按照国务院反洗钱行政主管部门的要求采取临时冻结措施后四十八小时内，未接到侦查机关继续冻结通知的，应当立即解除冻结。"有关机关和单位应当按照反洗钱法的这一期限规定及时解除冻结。

3. 为了让当事人知晓被冻结存款、汇款的基本状况，保障其知情权，行政机关在依法延长冻结期限时，应当书面告知当事人并说明理由。同时，为了保持冻结效力，行政机关也应当将延长冻结的决定通知金融机构。金融机构接到通知后，应该及时协助延长冻结。

第三十三条　有下列情形之一的，行政机关应当及时作出解除冻结决定：

（一）当事人没有违法行为；

（二）冻结的存款、汇款与违法行为无关；

（三）行政机关对违法行为已经作出处理决定，不再需要冻结；

（四）冻结期限已经届满；

（五）其他不再需要采取冻结措施的情形。

行政机关作出解除冻结决定的，应当及时通知金融机构和当事人。金融机构接到通知后，应当立即解除冻结。

行政机关逾期未作出处理决定或者解除冻结决定的，金融机构应当自冻结期满之日起解除冻结。

【释义】 本条是关于解除冻结的规定。

冻结的解除有两类：一是行政机关作出解除冻结决定；二是法定期限届满后，自动解除冻结措施。

一、行政机关作出解除冻结决定的情形

本条第一款规定了行政机关应当及时作出解除冻结决定的具体情形。实践中，不再需要冻结的主要有已经完成调查、处罚的，经查证确实与案件无关的，当事人提供相应担保的，情况发生变化客观上不需要冻结的，等等。在各单行法律、法规或规章中，也有有关解除冻结的具体规定。如税收征收管理法、海关法等规定，行政相对人已经在限期内缴纳税款的，应当立即解除冻结。又如，国家税务总局制定的《税务稽查工作规程》第三十六条规定："有下列情形之一的，稽查局应当依法及时解除税收保全措施：（一）纳税人已按履行期限缴纳税款的；（二）税收保全措施被复议机关决定撤销的；（三）税收保全措施被人民法院裁决撤销的；（四）其他法定应当解除税收保全措施的。"中国证券监督管理委员会制定的《冻结、查封实施办法》第十八条规定："有下列情形之一的，经中国证券监督管理委员会主要负责人批准，应当及时解除冻结、查封措施：（一）已经完成调查、处罚的；（二）经查证，确实与案件无关的；（三）当事人提供相应担保的；（四）其他应当及时解除冻结、查封的情形。"在总结各地、各部门一些经验的基础上，本法规定了行政机关应当及时作出解除冻结决定的情形。

1. 当事人没有违法行为。如果经进一步调查，当事人没有违法行为，冻结就失去了依据，应当予以解除。

2. 冻结的存款、汇款与违法行为无关或者行政机关对违法行为已经作出处理决定而不再需要冻结。本法第二条规定："行政强制措施，是指行政机关在行政管理过程中，为制止违法行为、防止证据损毁、避免危害发生、控制危险扩大等情形，依法对公民的人身自由实施暂时性限制，或者对公民、法人或者其他组织的财产实施暂时性控制的行为。"根据本条的规定，采取行政强制措施的目的不是为了将来执行的方便。所以，冻结的存款、汇款必须与违法行为有关，否则应解除冻结。如果已经对违法行为作出处理决定，冻结的意义和价值也就不存在了，应予解除。

3. 冻结期限已经届满。设定冻结的期限是为了督促行政机关尽快查明案件，作出处理决定，防止久拖不决，损害当事人权益。期限既已届满，自然应予解除。

二、行政机关履行相关通知义务

为了保护当事人的合法权益，使当事人及时知晓被冻结存款、汇款的状况，同时使金融机构及时解除冻结措施，行政机关在作出解除冻结决定时，应当履行通知义务。一些法规、规章对此有更为具体的规定，如《税务稽查工作规程》规定，解除税收保全措施时，应当向纳税人送达解除税收保全措施通知书，告知其解除税收保全措施的时间、内容和依据，并通知其在限定时间内办理解除税收保全措施的有关事宜，采取冻结存款措施的，应当向冻结存款的纳税人开户银行或者其他金融机构送达解除冻结存款通知书，解除冻结，税收保全措施涉及协助执行单位的，应当向协助执行单位送达税务协助执行通知书，通知解除税收保全措施相关事项。

考虑到执法实践的纷繁复杂，本条没有对行政机关解除冻结决定及履行告知义务规定具体期限。尽管如此，行政机关应该本着执法为民、提高效能的原则，在不再需要冻结的情况下，“及时”作出解除冻结决定，并“及时”通知当事人，以方便当事人资金融通。如果行政机关没能做到“及时”，当事人可以向其上级部门或监察部门投诉，行使法律赋予的监督权。

三、行政机关逾期未作出处理决定，或者逾期未作出解除冻结决定，自动解除冻结

冻结作为一种行政强制措施，是手段不是目的，具有暂时性，应当及时作出处理决定或者解除冻结决定。实践中，对冻结存款、汇款的后续处理决定多为划扣。如税收征收管理法规定，纳税人在限期期满仍未缴纳税款的，经县以上税务局（分局）局长批准，税务机关可以书面通知纳税人开户银行或者其他金融机构从其冻结的存款中扣缴税款。行政机关有义务在冻结存款、汇款法定期间作出处理决定或者依法及时解除冻结。如果没有履行这些义务，应当承担行政法律责任，由上级行政机关或者有关部门责令改正，对直接负责的主管人员和其他直接责任人员依法给予处分，给当事人造成损失的，还应当依法给予赔偿。

金融机构有义务自冻结期满之日起解除冻结。如果没有解除冻结，应当承担行政法律责任，由金融业监督管理部门责令改正，对直接负责的主管人员和其他直接责任人员依法给

予处分，给当事人造成损失的，还应当依法给予赔偿。商业银行法也对金融机构非法冻结个人储蓄存款或者单位存款的法律责任作了规定：对存款人或者其他客户造成财产损害的，应当承担支付迟延履行的利息以及其他民事责任；有违法所得的，没收违法所得，违法所得五万元以上的，并处违法所得一倍以上五倍以下罚款；没有违法所得或者违法所得不足五万元的，处五万元以上五十万元以下罚款。

第四章 行政强制执行程序

第一节 一般规定

第三十四条 行政机关依法作出行政决定后，当事人在行政机关决定的期限内不履行义务的，具有行政强制执行权的行政机关依照本章规定强制执行。

【释义】 本条是关于行政机关强制执行的规定。

一、如何理解行政机关强制执行

行政机关强制执行既包括间接强制执行，也包括直接强制执行。间接强制执行中的执行罚，如不缴纳罚款的加处罚款由行政处罚法第五十一条普遍授权有行政处罚权的机关，不缴纳税收、行政收费、社会保险费等税费的加处滞纳金，一些法律、法规也有规定，大部分代履行由本法普遍授权行政机关决定。关于直接强制执行，我国实行的是双轨制，就是法律规定行政机关可以采取直接强制执行的，行政机关可以直接强制执行，如税收征收管理法第三十七条对于从事生产、经营的纳税人、扣缴义务人逾期不缴纳税款的，税务机关可以书面通知其开户银行或者其他金融机构从其存款中扣缴税款，或者扣押、查封、依法拍卖或者变卖其价值相当于应纳税款的商品、货物或者其他财产。对于没有直接强制执行权的，行政机关应当申请人民法院强制执行，多数金钱给付义务的强制执行和部分作为或者不作为义务的直接强制执行，需要申请人民法院执行。行政强制法第四章规定的程序就是行政机关的间接强制和直接强制的程序，该章对金钱给付义务的执行和作为义务的执行作了专节规定，对于不作为义务的执行，没有作专节规定，适用第一节的一般规定。

二、本条中法定期限是指什么期限

什么是法定期限，分两种情况：一是行政决定要求的期限。传统的行政法理论从保证行政效率出发，认为行政决定具有执行力和确定力，行政决定一经作出，当事人就应当按照行政决定要求的期限履行，即使对行政决定不服，申请行政复议或者提起行政诉讼都不能停止执行。我国现行的行政诉讼法和行政复议法基于这种理论明确了复议和诉讼不停止执行原则。因此，除非其他法律明确规定，本条的法定期限就是行政决定书规定的期限。二是行政复议和行政诉讼的期限。实践中，与行政机关自己执行不同，行政机关申请法院强制执行，只有超过了行政复议和行政诉讼期限，法院才予以强制执行。近年来，一些法律也明确规定行政机关强制执行需过了行政复议和行政诉讼期限，就是行政决定需要具有最终执行力。如税收征收管理法第八十八条第三款规定："当事人对税务机关的处罚决定逾期不申请行政复议也不向人民法院起诉、又不履行的，作出处罚决定的税务机关可以采取本法第四十条规定的强制执行措施，或者申请人民法院强制执行。"海关法第九十三条规定，当事人逾期不履行海关的处罚决定又不申请复议或者向人民法院提起诉讼的，作出处罚决定的海关可以将其保证金抵缴或者将其扣留的货物、物品、运输工具依法变价抵缴，也可以申请人民法院强制执行。水污染防治法第八十四条也规定，当事人对行政处罚决定不服的，可以申请行政复议，也可以在收到通知之日起十五日内向人民法院起诉；期满不申请行政复议或者起诉，又不履行行政处罚决定的，由作出行政处罚决定的机关申请人民法院强制执行。因此，这种情况下，法定期限就是行政复议和行政诉讼的期限。

三、行政机关强制执行需要遵循本章规定的程序规定

行政强制法的主要立法目的之一就是规范行政机关的强制执行的程序。其中第四章规定了催告程序、当事人的陈述和申辩、作出书面强制执行决定及其决定书的送达、中止执行、终结执行、执行回转、执行和解等制度。行政机关在强制执行中应当遵守上述程序和规定。此外，行政强制法第四章第二节、第三节还具体规定了金钱给付义务和代履行的执行程序。

第三十五条　行政机关作出强制执行决定前，应当事先催告当事人履行义务。催告应当以书面形式作出，并载明下列事项：

（一）履行义务的期限；

（二）履行义务的方式；

（三）涉及金钱给付的，应当有明确的金额和给付方式；

（四）当事人依法享有的陈述权和申辩权。

【释义】 本条是关于强制执行前催告的规定。

依法作出的行政决定，具有法律效力，当事人对行政决定确定的义务应当履行。当事人在行政机关决定的期限内不履行义务的，具有行政强制执行权的行政机关可以强制执行。强制执行应当依照本章规定的程序进行，首先，行政机关应当事先催告当事人履行义务，催告是强制执行程序中第一道程序。催告目的是督促当事人自觉履行行政决定，行政强制执行一般来说是备用手段、威慑武器。有效实现行政管理目的的最佳途径，在于当事人能自愿遵守而非强迫服从。如果当事人不能自觉遵守，甚至抵触和反对，即使行政机关能够凭借国家强制力强迫当事人服从，也会增加许多成本，特别会加大当事人与行政机关体之间的纠纷。行政强制执行虽然是行政管理的一种必要手段，但也应为当事人的积极合作留有必要的空间。行政决定作出后，应当给予当事人合理的自觉履行期限，在期限届满后，方可进入强制执行程序。督促当事人自觉履行行政义务，这体现了教育与强制相结合的原则，有利于行政机关把工作做细，把理说清，体现了对当事人的尊重，减轻了当事人的对抗情绪，有助于提高强制执行的可接受性。催告程序起到了强制执行的缓冲器作用。一些国家把催告作为强制执行的重要程序加以规定。如法国规定，行政机关采取强制执行措施以前，除紧急情况以外，必须事先催告当事人履行义务。在当事人表示反抗或明显的恶意不履行时，才能采取强制执行措施。德国行政执行法规定，无须即时适用强制方法时，须对其以书面方式作出告诫。在此情形中，须对履行义务定出一期限，在该期限内可期待义务人依其意愿履行执行。日本代执行法规定，行政厅进行代执行时必须经过告诫程序，即行政厅应以书面形式告诫义务人，要求义务人在相当期限内自动履行，如过期仍未履行的，将代为执行。

1. 催告是指当事人在行政决定作出后不自觉履行义务，行政机关督促当事人在一定期限内履行义务，否则承担被强制执行后果的一种程序。催告是强制执行决定的前置程序。按照本条的规定，行政机关的催告必须以书面形式作出。不以书面形式作出的催告，是违反法定程序的行为。催告通知书应在行政机关依法作出行政决定后，行政机关在作出强制执行决定前发出。催告的内容应当充分。当事人根据催告书所载内容，可以清晰地知道自己自觉履行义务的期限和准确地预测因不履行义务所带来的不利后果。

2. 催告的内容。(1)履行义务的期限。当事人履行义务的期限是一项重要内容。行政机关应当根据当事人应当承担义务的具体情况，合理设定期限。一是预留当事人正常履行义务的时间；二是预留当事人陈述和申辩的时间。(2)履行义务的方式。行政决定确定了当事人的义务，催告书有必要明确当事人以何种方式履行义务。(3)涉及金钱给付的，应当有明确的金额和给付方式。金钱给付义务包括缴纳税款、罚款、行政收费、社会保险费等。给付方式包括现金、支票、银行转账等。(4)当事人依法享有的陈述权和申辩权。本法第三十六条明确规定，当事人收到催告书后有权进行陈述和申辩。当事人进行陈述和申辩是强制执行的必经程序，因此有必要在催告书中载明。

需要注意的是，经催告，当事人履行行政决定的，不再实施强制执行。经催告，当事人逾期仍不履行行政决定，且无正当理由的，行政机关可以作出强制性决定。在催告期间，对有证据证明有转移或者隐匿财物迹象的，行政机关可以立即作出强制执行决定。此种情况下，行政机关无须催告期满即可作出强制执行决定。

3. 不经催告的强制执行方式。并不是所有的强制执行方式都要催告，也有无须催告的例外情况：一是立即实施代履行。本法规定，需要立即清除道路、河道、航道或者公共场所的遗撒物、障碍物或者污染物，当事人不能清除的，行政机关可以决定立即实施代履行；当事人不在场的，行政机关应当在事后立即通知当事人，并依法作出处理。立即实施代履行的方式无须催告是因为即时代履行所针对的事项时间紧迫，如不及时处理，可能会影响正常的行政管理秩序，也会给他人带来不便。而催告程序需要一定的期限，不能适用立即实施代履行。二是执行罚。本法规定，行政机关依法作出金钱给付义务的行政决定，当事人逾期不履行的，行政机关可以依法加处罚款或者滞纳金。根据这一规定，行政机关的执行罚并不以催告为前提。对执行罚，其他法律中有明确的规定，如税收征收管理法第三十二条规定，纳税人未按照规定期限缴纳税款的，扣缴义务人未按照规定期限解缴税款的，税务机关除责令限期缴纳外，从滞纳税款之日起，按日加收滞纳税款万分之五的滞纳金。根据这一规定，加收滞纳金是不经催告的。

第三十六条　当事人收到催告书后有权进行陈述和申辩。行政机关应当充分听取当事人的意见，对当事人提出的事实、理由和证据，应当进行记录、复核。当事人提出的事实、理由或者证据成立的，行政机关应当采纳。

【释义】　本条是关于催告程序中当事人陈述权、申辩权的规定。

享有陈述和申辩权是当事人在行政机关对其实施行政管理、作出具体行政行为的过程中所享有的程序性权利，是行政程序公正的基本要求，是行政活动中当事人参与权的体现。陈述权是指当事人对事实的认定和行政行为是否合法、合理发表意见，提出自己主张、要求的权利。申辩权是指当事人对不利于自己的行政行为，提出不同的意见，进行辩解的权利。当事人和行政机关不是简单的支配与被支配的关系，现代行政的一个重要原则是，行政机关作出涉及公民切身利益的决定时，公民都有权参与和发表意见；行政机关作出对公民不利的决定时，公民有权为自己辩护。因此，本法总则中规定，公民、法人和其他组织对行政机关实施行政强制，享有陈述权、申辩权。本条具体规定了催告程序中当事人享有的陈述权、申辩权。陈述和申辩程序能够营造出行政机关与当事人平等协商、充分说理的氛围，有利于化解误会、减少对抗和强制，并且有利于公民、法人或者其他组织在具体行政行为中，维护自己的合法权益，防止行政机关单方面对自己做出不利的处理，侵犯其合法权益。同时,也会使强制执行更加合法、公正,减少错误。

行政机关应正确对待催告程序中当事人的陈述权和申辩权:(1)听取当事人的陈述和申辩意见是行政机关的义务。陈述和申辩的时限是整个催告期间,在催告过程中,当事人都可以进行陈述和申辩。行政机关有义务听取当事人陈述和申辩意见,不得以任何借口拒绝或者阻碍当事人行使陈述和申辩权,否则属于违反法定程序的行为,除非当事人自愿、明确地表示放弃该项陈述或者申辩权利。行政机关不得因陈述和申辩加重不利处理。(2)行政机关应客观和充分听取当事人意见。行政机关听取当事人意见不能有主观性,不能片面和有选择地听取意见,不能只听取对自己有利的意见,而忽视当事人维护自身合法权益的意见。(3)行政机关应严格程序。对当事人提出的事实、理由和证据,行政机关应当进行记录、复核。记录的意义在于便于行政机关认真、全面地研究当事人的意见,防止行政机关敷衍了事。如果当事人以陈述和申辩程序违法为事由提起行政复议和行政诉讼,负有举证义务的行政机关可以提供书面记录作为证据。复核的意义在于使记录更加准确。(4)行政机关应有错必纠,当事人提出的事实、理由或者证据成立的,行政机关应当采纳。行政机关采纳意见后,应根据情况,对行政决定作出调整。如果当事人提出的事实、理由或者证据不成立,经催告,当事人逾期仍不履行行政决定的,行政机关可以作出强制执行决定。

第三十七条　经催告，当事人逾期仍不履行行政决定，且无正当理由的，行政机关可以作出强制执行决定。

强制执行决定应当以书面形式作出，并载明下列事项：

（一）当事人的姓名或者名称、地址；

（二）强制执行的理由和依据；

（三）强制执行的方式和时间；

（四）申请行政复议或者提起行政诉讼的途径和期限；

（五）行政机关的名称、印章和日期。

在催告期间，对有证据证明有转移或者隐匿财物迹象的，行政机关可以作出立即强制执行决定。

【释义】　本条是关于强制执行决定的规定。

一、强制执行决定

经催告，当事人逾期仍不履行行政决定，并且当事人陈述和申辩的意见中没有提出正当理由足以令行政机关采信的，行政机关可以作出强制执行决定。强制执行决定应当以书面形式作出。

二、行政决定与强制执行决定的关系

行政决定是基础行政行为，其确定了当事人的义务。强制执行决定必须依据行政决定作出，强制执行决定必须以当事人逾期不履行已经生效的行政决定所确定的义务为前提，其目的是在当事人不自觉履行义务的情况下，保证义务的履行。

三、强制执行决定书载明事项

强制执行决定书应载明下列事项：

1. 当事人的姓名或者名称、地址。

2. 强制执行的理由和依据。理由是指当事人在行政机关决定的期限内不履行行政决定确定的义务的具体情况。依据是指有强制执行权的行政机关实施强制执行所依据的法律上的具体规定。

3. 强制执行的方式和时间。根据本法第十二条的规定，强制执行的方式有五种：加处罚款或者滞纳金；划拨存款、汇款；拍卖或者依法处理查封、扣押的场所、设施或者财物；排除妨碍、恢复原状等义务的代履行；其他强制执行方式。

4. 申请行政复议或者提起行政诉讼的途径和期限。申请行政复议的途径是：公民、法人或者其他组织认为具体行政行为侵犯其合法权益，可以向行政机关提出行政复议申请。行政机关依法受理行政复议申请、作出行政复议决定。申请行政复议的期限是：行政复议法第九条规定："公民、法人或其他组织认为具体行政行为侵犯其合法权益的，可以自知道该具体行政行为之日起六十日内提出行政复议申请；但是法律规定的申请期限超过六十日的除外。""因不可抗力或者其他正当理由耽误法定申请期限的，申请期限自障碍消除之日起继续计算。"提起行政诉讼的途径是：公民、法人或者其他组织认为行政机关和行政机关工作人员的具体行政行为侵犯其合法权益，有权依照本法向人民法院提起诉讼。行政诉讼期限是：一是行政诉讼法第三十八条规定："申请人不服复议决定的，可以在收到复议决定书之日起十五日内向人民法院提起诉讼。复议机关逾期不作出决定的，申请人可以在复议期满之日起十五日内向人民法院提起诉讼。法律另有规定的除外。"因此，申请行政复议后的一般诉讼期限为行政复议期满后十五日。二是该法第三十九条规定："公民、法人或者其他组织直接向人民法院提起诉讼的，应当在知道作出具体行政行为之日起三个月内提出。法律另有规定的除外。"第四十条规定："公民、法人或者其他组织因不可抗力或者其他特殊情况耽误法定期限的，在障碍消除后十日内，可以申请延长期限，由人民法院决定。"因此，一般提起诉讼期限为三个月。

对于行政机关作出的强制执行决定是否可以提起行政复议和行政诉讼有不同观点。有一种意见认为，强制执行是执行已生效的行政决定。对作为强制执行基础的行政决定，当事人可以提起行政复议和行政诉讼；而强制执行决定没有给当事人设定新的义务，不能对其提起行政复议和行政诉讼。但考虑到，强制执行决定是一个独立的具体行政行为，会给当事人权利造成影响，在没有强制执行权的行政机关作出强制执行决定，或者未经催告等程序违法情况下作出强制执行决定，当事人可以对强制执行决定提起行政复议和行政诉讼。

5. 行政机关的名称、印章和日期。行政机关的名称、印章和日期必须同时具备。

另外，在催告期间，对有证据证明有转移或者隐匿财物迹象的，行政机关可以作出立即强制执行决定。根据这一规定，行政机关无需等待催告书中载明的履行义务的期限届满，即可作出立即强制执行决定。作出立即强制执行决定必须满足两个条件：一是掌握明确的证据；二是在当事人有转移或者隐匿财物迹象的情形下。之所以这样规定，主要是因为当事人转移或者隐匿财物的，将直接导致行政机关无法强制执行。

第三十八条 催告书、行政强制执行决定书应当直接送达当事人。当事人拒绝接收或者无法直接送达当事人的，应当依照《中华人民共和国民事诉讼法》的有关规定送达。

【释义】 本条是关于催告书、行政强制执行决定书送达的规定。

送达是行政机关依法定的程序和方式将催告书、行政强制决定书送交当事人的行为。送达是行政机关的单方行为，送达必须按照法律规定的程序和方式进行。

催告书、行政强制执行决定书应当直接送达当事人。除直接送达外，依照民事诉讼法的规定，送达方式还包括留置送达、委托送达、邮寄送达、转交送达和公告送达。

1. 直接送达。所谓直接送达又称为交付送达，催告书、行政强制执行书应当在执行时当场交付当事人。当事人是公民的，应当直接送交本人；当事人是法人或者其他组织的，应当送交法人的法定代表人、其他组织的主要负责人。此外，本法确立了直接送达优先的原则，即应先采取直接送达的方式送达，当事人拒绝接收或者当事人不在场的，才可以采取其他方式送达。规定直接送达优先原则，是因为直接送达是最简便易行的方式，并且对当事人知情权的保护最为有力。

2. 留置送达。这是指当事人拒收送达文书时，行政机关把送达文书留在当事人住处的送达方式。当事人拒绝接受送达文书时,送达人应当邀请有关基层组织或者其所在单位的代表到场,说明情况,将送达文书留在当事人的住所,即视为送达。

3. 委托送达。这是指行政机关直接送达文书有困难时,委托当事人所在地行政机关代为送达的方式。委托送达一般是在当事人不在行政机关的辖区内,直接送达有困难时适用。接受委托的只能是其他行政机关。行政机关需要委托送达时,应当出具委托函,将委托的事项和要求明确地告知受托的行政机关。

4. 邮寄送达。这是指行政机关直接送达有困难时,将送达文书交邮局用挂号信寄给当事人的送达方法。

5. 转交送达。转交送达,是指在特定情况下,不宜或者不便直接送达时,行政机关将送达文书通过当事人所在单位转交的送达方式。根据民事诉讼法规定,转交送达是在当事人身份特殊的情况下适用的,具体包括:(1)当事人是军人的,通过其所在部队团以上单位的政治机关转交;(2)当事人被监禁的,通过其所在监所或者劳动改造单位转交;(3)当事人被劳动教养的,通过其所在劳动教养单位转交。代为转交的机关、单位在收到送达文书后,必须立即交付当事人。

6. 公告送达。公告送达,是指行政机关以公告的方式,将需要送达的文书的有关内容告知当事人的送达方式。无论当事人是否知悉公告内容,经过法定的公告期限,即视为已经送达。公告送达,可以在行政机关的公告栏、当事人原住所地张贴公告,也可以在报纸上刊登公告;对公告送达方式有特殊要求的,应按要求的方式进行公告。

第三十九条　有下列情形之一的,中止执行:

(一)当事人履行行政决定确有困难或者暂无履行能力的;

(二)第三人对执行标的主张权利,确有理由的;

(三)执行可能造成难以弥补的损失,且中止执行不损害公共利益的;

(四)行政机关认为需要中止执行的其他情形。

中止执行的情形消失后,行政机关应当恢复执行。对没有明显社会危害,当事人确无能力履行,中止执行满三年未恢复执行的,行政机关不再执行。

【释义】　本条是关于中止执行的规定。

中止执行是指强制执行程序开始后,由于出现致使强制执行无法进行下去的特殊情况,行政机关暂时停止强制执行程序,待该情况消除后,继续执行。行政机关启动强制执行程序,作出强制执行决定后,应当强制当事人履行行政决定内容,最终实现行政管理目的。一般情况下,强制执行以实现行政管理目的为终点,不能随意停止或者中途放弃。考虑到实践中有时会出现某种无法克服和难以避免的特殊情况,使强制执行程序不能进行或者不宜进行,应当暂时停止,待法定中止情形消失后,继续执行。

一、中止执行的法定情形

中止执行有四种法定情形:(1)当事人履行行政决定确

有困难或者暂无履行能力的。确有困难或者暂无履行能力的包括以下情形：一是不可抗力，发生当事人无法预见、无法预防、无法避免和无法控制的事件，以致当事人不能如期履行义务，如发生海啸、地震等情况；二是经济或生活困难，除维持家庭基本生活以外，当事人无力履行金钱给付等义务；三是因突发疫病等身体健康原因暂不能履行义务的；四是其他情形。(2)第三人对执行标的主张权利，确有理由的。第三人是指当事人以外的，法律上利益或者权利将受到强制执行的影响的公民、法人或者其他组织。第三人主张权利的内容主要是指物权或者债权。如第三人对执行标的主张抵押权、质权、所有权，以及因租赁关系而享有的使用权等。此种情况下执行标的是有争议的标的，需要确定权属后才能执行；如果第三人确有理由的，应当中止执行。这是基于保护第三人利益的角度作出的规定。(3)执行可能造成难以弥补的损失，且中止执行不损害公共利益的。强制执行应坚持比例原则，应采取最小损害的方式实现行政管理目的。在可能造成难以弥补损失的情况下，如果不中止执行，会使强制执行得不偿失。(4)行政机关认为需要中止执行的其他情形。如强制执行可能导致被执行人过激行为（自杀或暴力对抗）或者发现据以执行的行政决定存在问题等。

二、关于是否规定复议或者诉讼期间停止强制执行

在本法立法过程中关于是否规定复议或者诉讼期间停止强制执行，争议比较大。根据行政诉讼法和行政复议法，我国实行的是不停止执行为原则，停止执行为例外的制度。所谓

不停止执行为原则是指行政诉讼法第四十四条规定,诉讼期间,不停止具体行政行为的执行。行政复议法第二十一条规定,行政复议期间具体行政行为不停止执行。停止执行为例外是指行政诉讼法第四十四条规定,有下列情形之一的,停止具体行政行为的执行:(1)被告认为需要停止执行的;(2)原告申请停止执行,人民法院认为该具体行政行为的执行会造成难以弥补的损失,并且停止执行不损害社会公共利益,裁定停止执行的;(3)法律、法规规定停止执行的。

确立行政复议或者行政诉讼期间不停止具体行政行为的执行的原则主要是为了保障行政机关合法有效地行使行政权和保障行政管理活动的正常进行。为了保障行政管理活动的稳定性和连续性,不能随意间断和停止对具体行政行为的执行。行政行为一经作出,就具有执行力和强制力,不能因为行政复议或者行政诉讼而停止和间断。

考虑到与行政诉讼法和行政复议法的衔接问题,本法没有规定复议或者诉讼期间停止强制执行。

三、中止执行的法律效果

中止执行是暂时停止执行,不是永久停止执行,因此在中止执行的法定情形消失后,行政机关有恢复执行的义务。如果中止执行的法定情形一直没有消除或者永不消除的,行政机关可以进入不再执行程序或者终结执行程序。

四、恢复执行和不再执行

(1)恢复执行。中止执行的情形消失后,行政机关应当恢复执行。如当事人经济情况好转,可以在中止后履行义务。

(2)不再执行。中止执行使法律关系处于不确定状态,不利于财产流通和市场交易,影响社会财富价值的实现,因此在中止执行中规定了不再执行机制使行政效率与公民权益保护之间达到平衡。对没有明显社会危害,当事人无能力履行,中止执行满三年未恢复执行的,行政机关不再执行。

第四十条　有下列情形之一的,终结执行:

(一)公民死亡,无遗产可供执行,又无义务承受人的;

(二)法人或者其他组织终止,无财产可供执行,又无义务承受人的;

(三)执行标的灭失的;

(四)据以执行的行政决定被撤销的;

(五)行政机关认为需要终结执行的其他情形。

【释义】　本条是关于终结执行的规定。

终结执行是指在执行过程中,由于发生某种特殊情况,执行程序没有必要或不可能继续进行,从而结束执行程序。终结执行是行政强制执行制度的重要组成部分。终结执行有以下特点:(1)发生了特殊情况,执行程序没有必要和不可能继续进行;(2)执行程序永远停止;(3)以后也不再恢复执行程序;(4)终结执行的决定权只能由行政机关行使。

终结执行有以下五种情形:

1. 公民死亡,无遗产可供执行,又无义务承受人的。有义务就要有承担义务的主体,当义务承担主体消亡,而这种义务又没有继承主体时,义务便归于消灭。被执行的公民死亡,行政机关可以先中止执行，等待继承人承受义务。如果被执行公民的遗产继承人没有放弃继承，行政机关可以变更被执行人，在这种情况下并不增加或消灭执行义务内容，由该继承人在遗产的范围内履行义务；如果继承人放弃继承，行政机关可以直接强制执行被执行公民的遗产；如果被执行公民既无遗产，又无义务承受人的，强制执行工作将无法进行，因此应当终结执行。

2. 法人或者其他组织终止，无财产可供执行，又无义务承受人的。法人或者其他组织终止的原因有：(1) 依法被撤销；(2) 自行解散；(3) 依法被宣告破产；(4) 其他原因，如合并、分立、国家经济政策的调整和发生战争等。一般来说，只有在依法被宣告破产的情况下，才会发生没有义务承受人的情况。

3. 执行标的灭失的。在执行程序中，执行标的灭失，是执行过程中发生的特殊情况。即作为执行标的的财物，因自然或人为因素的作用改变其固有的物理、化学性质、失去原有形态、数量、质量、价值，永久不能恢复原状的法律状态。

4. 据以执行的行政决定被撤销。行政决定是基础行政行为，是强制执行的依据。行政决定被撤销，强制执行便成为“无根之木”“无源之水”，因此应终结执行。行政决定被部分撤销的，执行机关应就原决定撤销部分终结执行。行政决定的撤销包括三种情况：一是行政机关主动撤销。作出行政决定的行政机关或者其上级行政机关撤销已生效的行政决定。二是诉讼撤销。行政诉讼法规定，具体行政行为有下列情形之一的，判决撤销或者部分撤销，并可以判决被告重新作出具体行政行为：(1)证据不足的；(2)适用法律、法规错误的；(3)违反法定程序的；(4)超越职权的；(5)滥用职权的。三是复议撤销。行政复议法规定，具体行政行为有下列情形之一的，决定撤销：(1)主要事实不清、证据不足的；(2)适用依据错误的；(3)违反法定程序的；(4)超越或者滥用职权的；(5)具体行政行为明显不当的。

5. 行政机关认为需要终结执行的其他情形。该条款是弹性条款，行政机关可以根据终结执行的基本精神和实际情况，决定其他需要终结执行的情形。

应注意的是：(1)中止执行和终结执行的区别。中止执行和终结执行都会使强制执行程序停止。但中止执行和终结执行有着明显的不同。执行中止是执行程序的暂时停止，待造成中止的原因消除后，执行程序恢复，执行工作继续进行；而终结执行后，执行程序就宣告结束，以后也不再恢复。(2)终结执行和执行完毕的区别。执行完毕时，作为强制执行基础的行政决定书的内容已经全部落实；而执行终结则不同，债权人的权利没有全部实现，行政决定书的内容没有全部落实。

第四十一条　在执行中或者执行完毕后，据以执行的行政决定被撤销、变更，或者执行错误的，应当恢复原状或者退还财物；不能恢复原状或者退还财物的，依法给予赔偿。

【释义】　本条是关于执行回转的规定。

执行回转制度是一项错误弥补制度，是指在执行中或者执行完毕后，据以执行的行政决定被撤销、变更，或者执行错误的，行政机关对已被执行的财产重新恢复到执行程序开始前状态的执行制度。本法规定执行回转制度，主要考虑以下三个方面：(1)维护被执行人的合法权益，恢复到执行程序开始前的状况，实现平等保护；(2)规范行政机关的强制执行行为，促进其合法正当地行使强制执行权；(3)体现“有错必纠”原则，实现真正意义上的公平公正。

1. 执行回转的特点是：(1)发生的时间既可以在执行中，也可以在执行完毕后。(2)执行回转的前提条件包括三个方面：被执行的行政决定被撤销、变更或者执行错误。这里既包括实体上的撤销、变更行为，也包括了程序上的执行错误。(3)执行回转标的只能是财物。对于人身的强制执行无法回转。(4)执行回转的方式。执行回转的方式是恢复原状或者退还财物。恢复原状是指原物恢复到受损害前的形状、性能或状态的赔偿方式。退还财物分为几种情况：执行标的为特定物的，应返还特定物；执行标的为种类物的，应返还相同规格、数量和品质的种类物；执行标的为“金钱给付”的，应当返还相同数额的金钱及其孳息。

2. 行政赔偿。不能恢复原状或者退还财物的，无法实现执行回转，如执行的标的是特定物，该特定物毁损、灭失或者被第三人以拍卖的方式善意取得的。在无法实现执行回转的情况下，应当依照国家赔偿法的规定支付赔偿金。

国家赔偿，是指国家机关和国家机关工作人员行使职权，侵犯公民、法人和其他组织合法权益并造成损害的，国家依照国家赔偿法的规定承担的赔偿责任。国家赔偿包括行政赔偿和刑事赔偿。本条规定的赔偿是行政赔偿。行政赔偿的归责原则是行政违法行为。因此，违法的行政行为的撤销、变更，或者执行错误才会导致国家赔偿。

国家赔偿法规定：行政机关及其工作人员行使行政职权侵犯公民、法人和其他组织的合法权益造成损害的，该行政机关为赔偿义务机关。两个以上行政机关共同行使行政职权时侵犯公民、法人和其他组织的合法权益造成损害的，共同行使行政职权的行政机关为共同赔偿义务机关。法律、法规授权的组织在行使授予的行政权力时侵犯公民、法人和其他组织的合法权益造成损害的，被授权的组织为赔偿义务机关。受行政机关委托的组织或者个人在行使受委托的行政权力时侵犯公民、法人和其他组织的合法权益造成损害的，委托的行政机关为赔偿义务机关。赔偿义务机关被撤销的，继续行使其职权的行政机关为赔偿义务机关；没有继续行使其职权的行政机关的，撤销该赔偿义务机关的行政机关为赔偿义务机关。赔偿请求人要求赔偿，应当先向赔偿义务机关提出，也可以在申请行政复议或者提起行政诉讼时一并提出。赔偿义务机关决定赔偿的，应当制作赔偿决定书。赔偿义务机关决定不予赔偿的，应当书面通知赔偿请求人，并说明不予赔偿的理由。国家赔偿以支付赔偿金为主要方式。能够返还财产或者恢复原状的，予以返还财产或者恢复原状。应当返还的财产损坏的，按照损害程度给付相应的赔偿金；应当返还的财产灭失的，给付相应的赔偿金；财产已经拍卖或者变卖的，给付拍卖或者变卖所得的价款；变卖的价款明显低于财产价值的，应当支付相应的赔偿金。赔偿费用列入各级财政预算。赔偿请求人凭生效的行政决定书，向赔偿义务机关申请支付赔偿金。赔偿义务机关应当自收到支付赔偿金申请之日起七日内，依照预算管理权限向有关的财政部门提出支付申请。财政部门应当自收到支付申请之日起十五日内支付赔偿金。赔偿请求人请求国家赔偿的时效为两年，自其知道或者应当知道国家机关及其工作人员行使职权时的行为侵犯其财产权之日起计算。在申请行政复议或者提起行政诉讼时一并提出赔偿请求的，适用行政复议法、行政诉讼法有关时效的规定。赔偿请求人在赔偿请求时效的最后六个月内，因不可抗力或者其他障碍不能行使请求权的，时效中止。从中止时效的原因消除之日起，赔偿请求时效期间继续计算。赔偿请求人要求国家赔偿的，赔偿义务机关不得向赔偿请求人收取任何费用。

第四十二条　实施行政强制执行，行政机关可以在不损害公共利益和他人合法权益的情况下，与当事人达成执行协议。执行协议可以约定分阶段履行；当事人采取补救措施的，可以减免加处的罚款或者滞纳金。

执行协议应当履行。当事人不履行执行协议的，行政机关应当恢复强制执行。

【释义】　本条是关于执行和解的规定。

执行和解是我国行政强制执行制度的创新，要不要确立这项制度，在立法过程中有过不同意见。因为从理论上说，和解就是需要有妥协，行政决定是行使公权力的行为，一旦作出，如果合法又合理，那么行政决定应当得到全面执行，应当不存在和解的空间。如果对行政决定的合法性和合理性有争议，可以通过行政复议或者行政诉讼途径来解决，在复议和诉讼过程中可以达成和解。到了执行程序，已经经过复议或者行政诉讼，或者当事人放弃了复议和诉讼，对行政决定还进行和解，会影响行政决定的确定力和行政权的权威，所以没有必要规定和解制度。但立法不能仅仅从理论出发，还应当考虑社会现实。一是我国目前的法治发展处于初级阶段，行政机关的执法水平和公民的法律意识都有待提高，违法或者不合理的行政决定不在少数，而行政复议和行政诉讼制度的作用还未充分发挥，老百姓不愿告、不敢告或者告状无门的情况还比较多，行政复议法实施 10 年，全国受理的行政复议案件只有 77 万多件，全国行政诉讼案件也每年徘徊在 10 万件左右，行政执法中的矛盾还比较尖锐，尤其是在土地征收、房屋拆迁、城市管理等领域，问题集中，矛盾突出，暴力冲突时有发生，一味强制更会激化矛盾，影响社会和谐稳定。二是行政机关直接强制行政和大部分代履行不需要经过行政复议和行政诉讼期限届满就可以执行，缺少复议和诉讼的救济程序；间接强制如加处滞纳金，一般是从欠缴之日起就开始计算，没有催告程序。在这种情况下，强制执行容易激化矛盾。三是行政机关强制执行也要坚持教育与强制相结合的原则。本法总则

第六条确立的教育与强制相结合的原则，是行政强制制度总的原则，行政机关强制执行也要体现这一原则。这一原则表明强制不是目的，实施强制的目的是实现行政管理目标，并对不履行行政决定的当事人起到震慑作用，从而使当事人自觉履行行政决定，减少行政强制。四是从现实的情况看，在执行中实行和解，在不违反法律或者公共利益的情况下，行政机关主动妥协、让步，能够缓解矛盾，实践效果不错。在执行中行政机关与当事人就执行的内容和方式达成妥协，减少被执行人的部分义务，以实现当事人的主动履行，既保证行政决定的执行，又减少社会冲突，符合构建社会主义和谐社会的要求。因此，行政强制法确立了执行和解制度。

一、执行和解的形式是达成执行协议

从性质上看，执行协议属于行政合同，它既不同于由行政机关单方决定的行政决定，需要由行政机关与被执行人自愿协商达成、共同约定协议的内容；又不同于民事合同的平等性，在民事活动中当事人双方是完全自由的，在执行和解中，行政机关居主导地位，被执行人即使不同意订立执行协议，也要履行行政决定的义务。本法没有明确执行协议的形式，是否需要以书面形式，具体执行可以是在便宜和行政效率的原则下，由执行机关决定。

二、执行协议不能损害公共利益和他人合法权益

作出行政决定是以维护公共利益和公共秩序为目的，执行协议虽然是执行机关与被执行人之间自愿达成的，但协议的内容不能自由约定，不能违反行政决定所要实现的目的，不

能放弃行政机关的责任，也不能损害公共利益和他人利益。如根据防洪法第五十八条的规定，未经水行政主管部门对其工程建设方案审查同意或者未按照有关水行政主管部门审查批准的位置、界限，在河道、湖泊管理范围内从事工程设施建设活动的，责令停止违法行为，补办审查同意或者审查批准手续；工程设施建设严重影响防洪的，责令限期拆除，逾期不拆除的，强行拆除，所需费用由建设单位承担；影响行洪但尚可采取补救措施的，责令限期采取补救措施，可以处一万元以上十万元以下的罚款。如果出现上述行为，水行政主管部门作出责令限期拆除或者采取补救措施的决定，当事人不履行，在强制执行中即使与当事人达成执行协议，也要强制拆除或者要求当事人采取补救措施，不能仅缴了罚款就了事。

三、执行协议的内容

协议内容也就是执行机关和被执行人可以协商的内容，分为两种：一是就被执行人自动履行义务的时间进行协商，可以约定分阶段履行义务。如对违法建筑的拆除，如果该违法建筑的居民还正在使用中，居民需要找到新的居住用房，需要有时间找房、搬家，需要一个过程，在这种情况下，执行协议可以约定执行的期限。二是对于当事人采取补救措施的，可以减免加处罚款或者滞纳金，不能减免罚款本金。多数违反行政法律、法规的行为都规定了罚款，部分法律、法规还规定了责令改正和其他处罚，加处罚款是当事人不主动缴纳罚款时对当事人额外增加的负担，如果当事人改正了违法行为，主动消除违法后果，或者在催告期间内主动缴纳罚款，可以免除加处罚款。加处滞纳金是当事人不缴纳税款和行政性收费时对当事人额外增加的负担，如果在催告期内当事人缴纳了税款或者行政收费，执行机关可以减免滞纳金。

四、执行协议应当履行

执行协议对行政机关和被执行人都有约束力，双方都应履行执行协议的内容。如果当事人未按照执行协议履行义务的，行政机关可以单方恢复强制执行。

第四十三条 行政机关不得在夜间或者法定节假日实施行政强制执行。但是，情况紧急的除外。

行政机关不得对居民生活采取停止供水、供电、供热、供燃气等方式迫使当事人履行相关行政决定。

【释义】 本条是关于文明执法的规定。

行政机关文明执法是依法行政的应有之义。文明执法的基本要求是规范化、科学化、人性化。行政强制执行中行政机关可以利用国家强制力实现行政管理目的，因此，行政机关应当秉持树立以人为本、依法行政、执政为民的理念，充分尊重当事人的合法权益，严格遵循法律规定的程序，坚持教育与强制相结合，自我约束，尽可能避免行政强制"暴力"的一面，避免激化对立情绪，引发社会矛盾。不文明的执法行为会损害行政机关的威信和形象。如某些执行人员夜间"突袭"，用"堵被窝"的方式执行，"执法队"变成了"夜袭队"；而对于一些"钉子户"，有的采取断水、断电的方式强迫当事人履行义务，严重影响了当事人的基本生活。这些现象之所以不时发生，是因为有的执法人员对“强制”的错误理解，把“强制”和严苛的行政行为划等号。事实上，“以人为本”应是“强制”的基础。行政强制执行代表的是公权力，维护的是公共利益，而被执行者也依法享有自己的合法权利，应该予以尊重。行政强制执行直接作用于当事人的人身和财产，稍有不慎，就会影响和侵害行政相对人的合法权益。公权力的行使不能以过度伤害公民权利来实现行政目的。为了规范行政机关的执法行为，降低行政行为对公民生活的负面影响，本条从行政强制执行的实施时间和强制手段两个方面提出了文明执法的具体要求。

1．不得在夜间或者法定节假日执行。休息权是劳动者获得休息和休假时间的权利，它是公民的一项基本权利，是保障公民身心健康和自由发展的一种权利。赋予并保障劳动者的休息权是个人和社会发展的共同需要，是社会进步和文明发展的重要标志。行政强制执行也应尊重当事人的休息权，防止搞“突然袭击”和扰民，因此，本条规定行政强制执行一般不应在夜间或者法定节假日实施。德国和我国台湾地区的法律也同样对执行中保护当事人休息权作出了规定。德国《莱茵邦·柏尔兹行政强制执行法》规定，在夜间、星期日及法定假日实施执行行为，仅以持有执行官署的书面许可为限。执行时，应出示该许可证。我国台湾地区“行政执行法”规定，行政执行不得于夜间、星期日或其他休息日为之，但执行机关认为情况紧迫或征得义务人同意者，不在此限。日间已开始执行者，得继续至夜间。夜间一般是指晚十点至晨六点之间的期间。

法定节假日是指根据各国、各民族的风俗习惯或纪念要求，由国家法律统一规定的用以进行庆祝及度假的休息时间以及正常情况下每周的周六周日。法定节假日制度是国家政治、经济、文化制度的重要反映，涉及经济社会的多个方面，涉及广大人民群众的切身利益。劳动法第四十条规定，用人单位在元旦，春节，国际劳动节，国庆节，法律、法规规定的其他休假节日，应当依法安排劳动者休假。根据《全国年节及纪念日放假办法》规定，节假日包括三类：一是全体公民放假的节日，包括：(1)新年，放假1天(1月1日)；(2)春节，放假3天(农历除夕、正月初一、初二)；(3)清明节，放假1天(农历清明当日)；(4)劳动节，放假1天(5月1日)；(5)端午节，放假1天(农历端午当日)；(6)中秋节，放假1天(农历中秋当日)；(7)国庆节，放假3天(10月1日、2日、3日)。全体公民放假的假日，如果适逢星期六、星期日，应当在工作日补假。二是部分公民放假的节日及纪念日，包括：妇女节(3月8日妇女放假半天)、青年节(5月4日14周岁以上28周岁以下的青年放假半天)、儿童节(6月1日14周岁以下的少年儿童放假1天)、中国人民解放军建军纪念日(8月1日现役军人放假半天)。部分公民放假的假日，如果适逢星期六、星期日，则不补假。三是少数民族习惯的节日，具体节日由各少数民族聚居地区的地方人民政府，按照各该民族习惯，规定放假日期。根据国家有关规定，用人单位在除了全体公民放假的节日外的其他休假节日，也应当安排劳动者休假。除上述三类外，二七纪念日、五卅纪念日、七七抗战纪念日、九三抗战胜利纪念日、九一八纪念日、教师节、护士节、记者节、植树节等其他节日、纪念日，均不放假。

需要注意的是，在情况紧急的情况下，行政机关可以在夜间或者法定节假日执行。如对有证据证明有转移或者隐匿财务迹象的，行政机关可以作出立即强制执行决定；需要立即清除道路、河道、航道或者公共场所遗洒物、障碍物或者污染物，当事人不能清除的，行政机关可以决定立即实施代履行。

2. 不得采取停止供水、供电、供热、供燃气等方式迫使当事人履行行政决定。这也是行政强制执行中人性化的规定。水、电、热、燃气都是维持居民基本生活的必需品，缺乏这些，居民的饮食、居住都会受到非常大的影响，直接关系到居民的基本生存问题。强制执行应符合比例原则，应平衡公共利益和私人权利之间的关系，不能为了公共利益的需要，而给当事人的私权造成过度的损害。行政强制应以保证当事人的基本生活为限，如果执法人员缺乏人文关怀和人性执法的理念而强行“断水、断电”，可能会造成当事人的对立情绪，激化矛盾，不利于社会稳定。特别是在对违法的建筑物、构筑物、设施等进行强制拆除的情况下，不得采取停止供水、供电、供热、供燃气等方式迫使当事人履行行政决定。

需要注意的是，这一规定的对象仅指居民生活。至于法人和其他组织，行政机关依然可以采取停止供水、供电、供热、供燃气的方式督促其履行义务。《浙江省水污染防治条例》第五十一条规定，排污单位拒不履行县级以上人民政府或者环境保护主管部门作出的责令停产、停业、关闭或者停产整顿决定,继续违法生产的,县级以上人民政府可以作出停止或者限制向排污单位供水、供电的决定。

3. 法律责任。本法第六十二条规定,违反本法规定,在夜间或者法定节假日实施行政强制执行的,或者对居民生活采取停止供水、供电、供热、供燃气等方式迫使当事人履行相关行政决定的,行政机关对直接负责的主管人员和其他直接责任人员依法给予处分。

第四十四条　对违法的建筑物、构筑物、设施等需要强制拆除的,应当由行政机关予以公告,限期当事人自行拆除。当事人在法定期限内不申请行政复议或者提起行政诉讼,又不拆除的,行政机关可以依法强制拆除。

【释义】　本条是关于违法建筑物、构筑物、设施强制拆除的规定。

建筑物、构筑物、设施是重要财产,涉及价值较大,多数还关系到当事人的基本生活生产,影响到社会特别是城市的有序发展和建筑物周围多数人的权益,涉及面宽、社会影响大、社会关注度高。为了实现合理的区域功能区划,形成合理的建筑布局,依法保护国有土地使用权,保障群众的根本利益,对于违法建筑物、构筑物和设施,需要依法强制拆除,恢复法律秩序和行政管理秩序。同时,考虑到建筑物、构筑物和设施的重要性和特殊性,且建筑物、构筑物和设施一旦拆除很难恢复,因此设定和实施强制拆除必须谨慎,在法制轨道上依法实施。从性质上讲,强制拆除是实践中常见的直接强制执行方式。本条专门对强制拆除违法建筑物、构筑物、设施的程序作了规定。

一、关于违法建筑物、构筑物和设施

本条规定强制拆除的对象是违法建筑物、构筑物和设施。违法建筑物、构筑物和设施是指建筑物、构筑物和设施本身是违法的,违反的主要是有关建设规划、土地使用、城市容貌标准、环境卫生标准以及其他行政管理方面的法律、行政法规。对于合法建筑物、构筑物和设施的依法强制拆除,性质上属于行政强制执行,但不适用本条规定,应当适用城市房地产管理法和相关行政法规的规定。一般理解,建筑物是指供人居住、工作、学习、生产、经营、娱乐、储藏物品以及进行其他社会活动的工程建筑。例如,工业建筑、民用建筑、农业建筑和园林建筑等。构筑物是指不具备、不包含或不提供人类居住功能的人工建造物,比如水塔、水池、过滤池、澄清池、沼气池等。需要注意的是,对于违法建筑物、构筑物和设施的认定,应当合法合理。有些历史形成的没有取得合法手续的建筑物、构筑物和设施,应当本着实事求是的原则,依法依规妥善处理,不宜“一刀切”,引发社会矛盾。

二、关于强制拆除程序

行政机关实施强制拆除,属于典型的直接强制执行,应当遵循本节中关于行政强制执行的一般程序规定,包括催告、听取陈述和申辩、作出强制拆除决定书、送达、中止执行、终结执行、执行回转、执行中禁止性规定等规定。考虑到强制拆除的特殊性，为了使强制拆除更规范、更慎重、更具有可接受性，本条规定了强制拆除的特殊程序，包括实施强制拆除须满足当事人在法定期限内既不申请又不提起诉讼；实施强制拆除前应当进行公告等。

1. 行政机关实施强制拆除，须当事人在法定期限内不申请行政复议或者提起行政诉讼。这个内容是在四审后加上的。有的意见认为，考虑到很多时候强制拆除违法建筑物、构筑物和设施并不是非常紧急，为了防止继续实施违法建设，也有不少查封等停止施工的措施，因此进一步对程序作出规范，防止尚有争议未得到司法救济的强制拆除得以实施，损害当事人的合法权益。这个规定是对行政机关强制执行一般规定的例外，体现了公平、公正要求。行政机关强制执行是在行政决定中规定的期限届满后就可以实施，时间间隔较短。这也是根据实际情况和需求，对行政复议、行政诉讼不停止执行原则的突破。

2. 公告是催告的形式之一，但公告是广而告之，优点是公开性和严肃性，向社会公开相关信息，接受社会舆论的监督，在涉及人数众多时更有着不可取代的作用。其缺点是以一定形式公告后，公告期满即推定当事人知道，实践中因种种原因当事人不一定真正知道，有可能影响及时行使权利。因此在行政强制执行中，对当事人逐个催告是常态。在强制拆除违法建筑时，将公告与催告相结合，在强制执行前公告，限期当事人自行拆除，当事人逾期拒不拆除的，在正式强制拆除前还应当催告。公告和催告的目的都是催促当事人在一定期限内自行拆除，但作用更有所偏重，为了保障强制拆除的效果，把工作做到位，宜将公告与催告结合起来，给当事人自动履行义务更多机会和时间。

3. 依法强制拆除。当事人逾期拒不拆除的，就应当启动强制拆除程序予以依法强制拆除。这里要注意几个问题：第一，这里的依法是依照法律。强制拆除属于典型的直接强制执行，应当遵循行政强制法第十三条关于行政强制执行由法律设定的规定。实践中，少数几个行政法规规定了强制拆除，应当作妥善处理。规章及其他规范性文件不得设定行政机关自行强制拆除，已经设定的，应当及时清理，不及时清理的，为无效设定，应申请法院强制执行。

依照法律规定，强制拆除有两种情形：行政机关自行强制执行和申请法院强制拆除。目前我国有多部法律规定了拆除违法建筑，有的规定由行政机关申请法院执行，有的规定由行政机关强制执行。如果法律没有明确规定由行政机关自行强制拆除的，行政机关应当申请法院强制拆除。

第二节　金钱给付义务的执行

第四十五条　行政机关依法作出金钱给付义务的行政决定，当事人逾期不履行的，行政机关可以依法加处罚款或者滞纳金。加处罚款或者滞纳金的标准应当告知当事人。

加处罚款或者滞纳金的数额不得超出金钱给付义务的数额。

【释义】　本条是加处罚款或者滞纳金的规定。

加处罚款和滞纳金属于执行罚，是间接强制的一种。行政机关作出罚款或者征收税费等金钱给付义务的行政决定后，当事人在行政决定确定的期限内不履行的，行政机关可以依法加处罚款或者滞纳金，以促使当事人尽快缴纳罚款或者税、费，履行金钱给付义务。

当事人逾期不履行金钱给付义务，加处罚款或者滞纳金的规定在有的法律、行政法规中已有规定。目前，有 5 部法律使用了“滞纳金”，其中有 3 部只规定加收滞纳金，没有规定滞纳金的比例。这 3 部法律是人口与计划生育法规定“按照国家有关规定加收滞纳金”、海关法规定“由海关征收滞纳金”、劳动法规定“可以加收滞纳金”。有 2 部法律明确规定了按日加收滞纳金的比例，水法是千分之二，税收征收管理法是万分之五。有 14 部行政法规规定了“滞纳金”，其中 12 部明确规定了按日加收滞纳金的比例，有的为万分之五，有的为千分之五，有的为千分之三，还有的是千分之二。行政处罚法和道路交通安全法规定，当事人到期不缴纳罚款的，每日按罚款数额的 3% 加处罚款。加处罚款或者滞纳金是通过给当事人增加额外金钱负担的方式，迫使当事人尽快履行行政决定，从而提高行政效率，避免直接强制带来的对抗、冲突。

需要注意的是，还有一部法律在规定了加处滞纳金的同时还规定了按倍数加处罚款，水法第七十条规定，拒不缴纳、拖延缴纳或者拖欠水资源费的，由县级以上人民政府水行政主管部门或者流域管理机构依据职权，责令限期缴纳；逾期不缴纳的,从滞纳之日起按日加收滞纳部分千分之二的滞纳金,并处应缴或者补缴水资源费一倍以上五倍以下的罚款。需要注意的是,水法规定的罚款属于行政处罚,而本条中的罚款是执行罚,二者性质不同。因此,本条第二款“加处罚款或者滞纳金的数额不得超出金钱给付义务的数额”与水法的规定并不矛盾。

为了防止加处罚款或者滞纳金被滥用,法律明确规定了适用加处罚款或者滞纳金的条件,行政机关在适用加处罚款或者滞纳金时必须遵循这些条件。适用加处罚款或者滞纳金的条件是:一是当事人逾期不履行金钱给付义务的行政决定。金钱给付义务包括税收、行政事业性收费、罚款等以给付金钱作为义务内容的义务。逾期主要包括两种情况:一种是欠税、欠费。根据税收征收管理法第三十二条的规定,纳税人未按照规定期限缴纳税款的,扣缴义务人未按照规定期限解缴税款的,税务机关除责令限期缴纳外,从滞纳税款之日起,按日加收滞纳税款万分之五的滞纳金。也就是说,从滞纳税款之日就算逾期,就要缴纳滞纳金。欠费一般也是从超过应缴费之日起就算逾期。另一种是罚款。罚款是行政机关对违法行为人在一定期限内令其承担一定的金钱给付义务的处罚形式。罚款的逾期一般指超过行政处罚决定确定的期限。根据该条的规定,凡依法作出金钱给付义务行政决定的行政机关,对当事人逾期不履行金钱给付义务的,都具有加处罚款或者滞纳金的权力,而不需要法律法规的特别授权。因此,当事人一旦逾期不履行金钱给付义务的行政决定,行政机关就可以依法加处罚款或者滞纳金。二是行政机关的告知义务。加处罚款或者滞纳金的标准应当告知当事人。告知是行政机关在行使行政职权过程中将行政行为通过法定程序向当事人公开展示,以使当事人知悉该行政行为的行为。告知对行政机关来说是一项法定义务,如果不履行这一义务将承担相应的法律责任。告知对当事人则是一项法定权利,行政机关如果不履行这一义务,当事人有权请求行政机关履行告知义务或提供法律救济。行政机关决定加处罚款或者滞纳金时应当告知当事人加处罚款或者滞纳金的标准,这便于当事人了解罚款或者滞纳金的计算标准,明确义务,对当事人产生心理压力,也有利于对行政机关的监督。

法律明确了加处罚款或者滞纳金不得超过本金原则。审议中有意见提出,实践中由于有些行政机关未及时通知、催告当事人履行缴纳罚款或者有关税费的义务,致使当事人未能及时缴纳罚款或者有关税费,有时需要承担的加处罚款或者滞纳金的数额非常巨大,应当对这种情形作出规范。立法机关经研究,删去了一审稿中有关加处罚款和滞纳金比例的规定,并增加了"加处罚款或者滞纳金的数额不得超出金钱给付义务的数额"的规定。这是因为,加处罚款和滞纳金是主要按日计算,实践中出现了加处"天价罚款"的情况,即加处的罚款或者滞纳金数额远远超过原罚款或者税费的数额,一方面加重了当事人的负担,当事人面对巨额罚款或者滞纳金的压力有可能怠于履行义务,反而起不到该制度应有的效果;另一方面也可能使行政机关怠于采取其他强制手段执行行政决定，影响行政效率，导致行政决定的目的迟迟不能实现，加处罚款或者滞纳金的作用没有得到应有发挥。有鉴于此，本条为加处罚款或者滞纳金设定了上限，即规定加处罚款或者滞纳金的数额不得超出金钱给付义务的数额。这样规定有利于防止出现“天价罚款”，有利于当事人产生明确的心理预期，更快更好地履行义务，也有利于行政机关积极寻求其他强制手段执行行政决定，尽快实现行政目的。

第四十六条　行政机关依照本法第四十五条规定实施加处罚款或者滞纳金超过三十日，经催告当事人仍不履行的，具有行政强制执行权的行政机关可以强制执行。

行政机关实施强制执行前，需要采取查封、扣押、冻结措施的，依照本法第三章规定办理。

没有行政强制执行权的行政机关应当申请人民法院强制执行。但是，当事人在法定期限内不申请行政复议或者提起行政诉讼，经催告仍不履行的，在实施行政管理过程中已经采取查封、扣押措施的行政机关，可以将查封、扣押的财物依法拍卖抵缴罚款。

【释义】　本条规定了金钱给付义务的直接强制执行。

加处罚款和滞纳金属于间接强制，虽然能起到督促当事人履行金钱给付义务的作用，但如果当事人不理会、不畏惧加处罚款或者滞纳金带来的经济上和心理上的压力，这种间接强制有可能就对当事人起不到应有的作用，金钱给付义务的行政决定仍得不到履行，行政管理目的有可能落空，就有可能损害社会秩序和公共利益，因此在这种情况下必须通过采取直接强制的手段方可实现行政管理目的。

对于直接强制执行，有两种途径：一种是法律规定行政机关有行政强制执行权的，有行政强制执行权的行政机关可以采取法律规定的手段，直接强制执行；另一种是法律没有规定行政机关有行政强制执行权的，没有行政强制执行权的行政机关申请人民法院执行。本条主要规定了行政机关直接强制执行的程序，并对没有行政强制执行权的行政机关申请人民法院强制执行作了原则规定。

本条第一款规定了直接强制执行的适用条件。具有行政强制执行权的行政机关对金钱给付义务强制执行应当符合加处罚款或者滞纳金超过三十日，经催告仍不履行的条件。也就是说，当事人不履行金钱给付义务的，具有行政强制执行权的行政机关不能一上来就对当事人采用直接强制执行，而是必须在采用加处罚款或者滞纳金这种间接强制超过三十日后，经催告当事人仍不履行的，才可以强制执行。

本条第二款规定了行政机关强制执行前需要采取查封、扣押、冻结措施的程序。为了更好地实现强制执行目的，行政机关有时需要采用查封、扣押等执行措施，本款就是采取行政强制措施的程序性规定。行政机关实施强制执行前，需要采取查封、扣押、冻结措施的，依照本法第三章规定办理。这些程序规定，既包括第三章第二节“查封、扣押”和第三节“冻结”中的程序性规定，也包括第三章第一节“一般规定”中的程序性规定，如报告制度、说明身份和理由制度、听取陈述和申辩制度等。这些程序性规定有利于保护行政相对人的合法权益,保障行政机关依法行政。

本条第三款的规定有以下三层含义。一是,没有行政强制执行权的行政机关申请法院强制执行。本法第五十三条规定,当事人在法定期限内不申请行政复议或者提起行政诉讼,又不履行行政决定的,没有行政强制执行权的行政机关可以自期限届满之日起三个月内,依照本章规定申请人民法院强制执行。一般认为,由人民法院进行审查执行有利于保护行政相对人的合法权益,有利于监督行政机关依法行使职权;过于分散的强制执行权有可能带来人力、财力和物力的浪费,增加行政管理成本;有利于防止执行中的违法乱纪,保证执行的规范化;法院工作人员熟悉法律,有利于保证执行依法进行。本款的规定与第五十三条的规定是衔接的。二是,没有行政强制执行权的机关依据本法第四十五条的规定,对逾期不履行的加处罚款或者滞纳金后,仍不履行的,应当申请人民法院强制执行。三是,当事人在法定期限内不申请行政复议或者提起行政诉讼,经催告仍不履行的,在实施行政管理过程中已经采取查封、扣押措施的行政机关,可以将查封、扣押的财物依法拍卖抵缴罚款。没有行政强制执行权的行政机关将查封、扣押的财物依法拍卖抵缴罚款,有利于与行政管理过程中的行政强制措施相衔接,尽快实现行政目的,提高行政效率。

第四十七条　划拨存款、汇款应当由法律规定的行政机关决定,并书面通知金融机构。金融机构接到行政机关依法

作出划拨存款、汇款的决定后，应当立即划拨。

法律规定以外的行政机关或者组织要求划拨当事人存款、汇款的，金融机构应当拒绝。

【释义】　本条是关于划拨存款、汇款的规定。

执行金钱给付的行政决定，可以通过查封、扣押当事人财物进行拍卖或者依法处理的方式，也可以通过划拨当事人存款、汇款的方式来执行。划拨存款、汇款是由法律规定的行政机关将当事人在金融机构的存款、汇款强制转汇至国库、财政专户或者法律、法规规定的账户的行为。本条对划拨当事人存款、汇款的决定机关、程序以及金融机构的配合协助义务作了规定。

商业银行法第二十九条规定，商业银行办理个人储蓄存款业务，应当遵循存款自愿、取款自由、存款有息、为存款人保密的原则。对个人储蓄存款，商业银行有权拒绝任何单位或者个人查询、冻结、扣划，但法律另有规定的除外。根据本条的规定，商业银行有权拒绝任何单位或者个人查询、冻结、划拨账户，这是一般原则，仅有法律可以规定例外情形。这是因为金融机构负有保障存款权利人存取自由的义务，银行等金融机构对此不得侵害，不得非法限制，而有行政强制执行权的行政机关划拨存款、汇款属于法律另有规定，是例外情况。由于划拨存款、汇款是行政机关运用行政权强制转汇的行为，有较大的侵益性，必须严格符合法律的有关规定。

1. 划拨存款、汇款的决定机关。划拨存款、汇款属于直接强制方式，改变了存款、汇款的归属，涉及存款、汇款的安全和整个金融业的稳定，因此应当非常慎重，应当由法律规定的行政机关决定。法律规定以外的行政机关或者组织不能要求划拨存款、汇款。需要注意的是，这里的“法律”与商业银行法第二十九条中的“法律”一样，是狭义的法律，仅指全国人民代表大会和全国人民代表大会常务委员会制定的法律，不包括行政法规、地方性法规等。因此，只有法律规定的行政机关有权决定要求金融机构划拨存款、汇款，法律规定以外的其他行政机关或者组织不得向金融机构要求划拨当事人存款、汇款。法律规定以外的行政机关或者组织要求划拨当事人存款、汇款的，金融机构应当拒绝。为了防止法律规定以外的行政机关或者组织向金融机构要求划拨当事人存款、汇款，本条明确规定“法律规定以外的行政机关或者组织要求划拨当事人存款、汇款的，金融机构应当拒绝”，为金融机构拒绝其划拨存款、汇款的要求提供了法律依据。

2. 划拨存款、汇款的程序。行政机关应当作出书面决定，并通知金融机构。由于划拨存款、汇款具有较强的侵益性，需要符合法律规定的形式要件，应当制作书面决定而不能仅仅口头通知，书面决定应当送达金融机构。根据中国人民银行发布的《金融机构协助查询、冻结、扣划工作管理规定》的要求，金融机构在协助冻结、扣划单位或个人存款时，应当审查协助冻结、扣划存款通知书填写的需被冻结或扣划存款的单位或个人开户金融机构名称、户名和账号、大小写金额；协助冻结或扣划存款通知书上的义务人应与所依据的法律文书上的义务人相同；冻结或扣划的金额应当是确定的。

3. 金融机构的配合义务。为储户保密、维护储户存款安全是金融机构的责任，也是金融机构的立身之本。商业银行应当保障存款人的合法权益不受任何单位和个人的侵犯。但另一方面，金融机构也有配合行政机关的义务。金融机构在接到行政机关依法作出划拨存款、汇款的决定后应当立即划拨。不在规定期限内划拨的，应当承担相应的法律责任。根据本法第六十五条的规定，金融机构对应当立即冻结、划拨的存款、汇款不冻结或者不划拨，致使存款、汇款转移的；将不应当冻结、划拨的存款、汇款予以冻结或者划拨的，由金融业监督管理机构责令改正，对直接负责的主管人员和其他直接责任人员依法给予处分。

第四十八条　依法拍卖财物，由行政机关委托拍卖机构依照《中华人民共和国拍卖法》的规定办理。

【释义】　本条是关于行政机关委托拍卖机构拍卖的规定。

拍卖是指以公开竞价的形式，将特定物品或者财产权利转让给最高应价者的买卖方式。拍卖在一般情况下能够较为充分地实现财产的价值，是一种较好的执行方式。为了保证变卖财物的公平性，本法规定变卖必须通过拍卖的方式。

拍卖应当依照《中华人民共和国拍卖法》规定的程序办理。我国拍卖法对拍卖的原则、拍卖人、拍卖程序等都作了明确规定。第一，拍卖活动应当遵守有关法律、行政法规，遵循公开、公平、公正、诚实信用的原则。第二，关于拍卖人，拍卖法第九条规定，国家行政机关依法没收的物品，充抵税款、罚款的物品和其他物品，按照国务院规定应当委托拍卖的，由财产所在地的省、自治区、直辖市的人民政府和设区的市的人民政府指定的拍卖人进行拍卖。第三，关于拍卖程序。委托人委托拍卖物品或者财产权利，应当提供身份证明和拍卖人要求提供的拍卖标的的所有权证明或者依法可以处分拍卖标的的证明及其他材料。拍卖人应当对委托人提供的有关文件、资料进行核实。拍卖人接受委托的，应当与委托人签订书面委托拍卖合同。在拍卖公告与展示阶段，拍卖人应当于拍卖日七日前发布拍卖公告，拍卖公告应当通过报纸或者其他新闻媒介发布。拍卖人应当在拍卖前展示拍卖标的，并提供查看拍卖标的的条件及有关资料。在拍卖实施阶段，拍卖师应当于拍卖前宣布拍卖规则和注意事项。竞买人的最高应价经拍卖师落槌或者以其他公开表示买定的方式确认后，拍卖成交。拍卖成交后，买受人和拍卖人应当签署成交确认书。第四，违反拍卖法第九条的规定，应承担相应法律责任。拍卖法第五十九条规定，国家机关违反本法第九条的规定，将应当委托财产所在地的省、自治区、直辖市的人民政府或者设区的市的人民政府指定的拍卖人拍卖的物品擅自处理的，对负有直接责任的主管人员和其他直接责任人员依法给予行政处分，给国家造成损失的，还应当承担赔偿责任。

第四十九条　划拨的存款、汇款以及拍卖和依法处理所得的款项应当上缴国库或者划入财政专户。任何行政机关或

者个人不得以任何形式截留、私分或者变相私分。

【释义】 本条规定了划拨的存款、汇款等的管理制度。

为了加强对划拨存款、汇款及拍卖所得款项的管理，防止行政机关或者个人截留、私分或者变相私分，本条规定了划拨存款、汇款及拍卖所得的账户管理制度。财政专户是指在银行开立的用于存储、管理和核算具有专项用途的财政性资金的专用账户。行政机关基本存款账户是指行政机关办理日常转账结算和现金收付而开立的银行结算账户，是行政机关的主要存款账户。行政机关基本存款账户的使用范围包括：行政机关日常经营活动的资金收付，以及存款人的工资、奖金和现金的支取。划拨存款、汇款及拍卖、依法处理所得应当划入财政专用账户或者法律、法规规定的账户，不得划入行政机关的基本账户或者其他账户。任何行政机关或者个人不得以任何形式截留、私分或者变相私分。这既有利于减少行政机关“创收”冲动，防止滥用行政强制执行，又有利于保障国家财产不被截留、私分或者变相私分。

本法对截留、私分或者变相私分划拨存款、汇款及拍卖、依法处理所得的情形规定了相应的法律责任。本法第六十三条第一款规定，行政机关将查封、扣押的财物或者划拨的存款、汇款以及拍卖和依法处理所得的款项，截留、私分或者变相私分的，由财政部门或者有关部门予以追缴；对直接负责的主管人员和其他直接责任人员依法给予记大过、降级、撤职或者开除的处分。第六十六条规定，违反本法规定，金融机构将款项划入国库或者财政专户以外的其他账户的，由金融业监督管理机构责令改正，并处以违法划拨款项二倍的罚款；对直接负责的主管人员和其他直接责任人员依法给予处分。

第三节 代履行

第五十条 行政机关依法作出要求当事人履行排除妨碍、恢复原状等义务的行政决定，当事人逾期不履行，经催告仍不履行的，其后果已经或者将危害交通安全、造成环境污染或者破坏自然资源的，行政机关可以代履行，或者委托没有利害关系的第三人代履行。

【释义】 本条是关于代履行的规定。

代履行是指当事人拒绝履行或者没有能力履行义务时，行政机关决定由行政机关或者第三人代替当事人履行义务，履行费用由当事人承担。代履行是与执行罚、直接强制执行并列的一种行政强制执行方式。代履行的核心是义务的替代履行，对当事人而言是作为义务转化为金钱给付义务，对行政机关而言是通过代履行，避免了强制手段的使用，实现了行政管理目的，恢复了行政管理秩序。如除治病虫害义务应当由林木所有者或者经营者履行，拒绝履行的，可由林业主管部门或者第三人代为除治病虫害，因除治产生的费用一般由林木所有者或者经营者承担。代履行最早见于1954年制定的《海港管理暂行条例》，规定对沉船、沉物的代为打捞或者清除。代履行也是很多国家行政强制执行立法的重要内容。因此，行政强制法一开始就规定了代履行，作为一类行政强制执行方式。在审议过程中，对代履行的设定权要不要进行限定，有不同意见。本法第十三条规定，行政强制执行由法律设定，而行政法规也设定了许多代履行，而且这些代履行的规定也是必要的，一律废止对行政管理工作会造成不利影响。同时，有的意见认为代履行的适用范围不能太宽，不能将强制拆迁也当作代履行。为此，三审后对代履行进行了认真研究，进一步明确了代履行的适用范围、实施主体和法律依据。

一、代履行的性质

代履行不是当事人委托第三人履行，不是代执行，也不是行政机关强制执行。在有第三人参与的执行中，主要有四类情形。一是当事人委托第三人履行义务，属于自动履行行政义务，不属于强制执行。二是行政机关将强制执行权委托第三人履行，即代为强制执行，性质属于行政委托。考虑到行政强制措施都不能委托，行政强制执行权更不能委托，只能由法定的行政机关依照法律实施。三是行政机关雇佣第三人完成某类专业性较强的任务，在行政机关指挥下，配合行政机关履行职责，如第三人提供专业挖掘机械配合行政机关拆除违章建筑。这种情况下，属于行政机关实施行政强制执行，不属于代履行。四是行政机关委托第三人完成当事人应当履行的义务。第三人与当事人没有关系；第三人具有独立地位，不依附于行政机关，根据与行政机关之间的委托协议履行义务；委托内容是当事人应当履行的义务而不是行政强制执行权。这就是具有独特内容的代履行。

一些学者认为，代履行就是代执行。这是一个理论误区。

一旦将代履行视为代执行的另一个名称，代履行将没有自己的独特内涵，也无法与直接强制执行区分开。要说明代履行不是代执行，需要抓住法律关系这条主线。代履行涉及三个主体：行政机关、第三人和当事人。行政机关与当事人之间是行政管理关系，行政机关与第三人是行政委托合同关系，当事人与第三人之间没有关系，不存在命令与服从为特征的行政法律关系。代履行中委托方是行政机关，委托合同的标的是当事人应当履行的义务，涉及的可能是没有价值的物品，也可能是当事人的财产，委托方和权利方是分离的，类似“慷他人之慨”。法律之所以允许这种分离的存在，是据于行政管理的需要。同时，为了保证这种分离的正当性和合理性，应当对这种分离以及委托双方的处分权作出限制。这种限制就体现为第三人以自己名义实施代履行，不能实施强制手段，委托机关应当到场监督其履行等。

二、代履行的适用范围

一般理论认为，代履行可适用于他人可替代履行的义务，即他人履行该义务能达到当事人履行同样的状态。金钱给付义务不能由他人代为履行，不作为义务无法由他人代为履行，一些具有高度人身依附性的作为义务也难以由他人代为履行。按照这个标准，行政强制法草案曾规定，行政机关依法作出要求当事人履行排除妨碍、恢复原状等义务的行政决定，当事人逾期不履行，可以代履行。排除妨碍、恢复原状是对可替代义务的具体化。这样代履行的适用范围太宽，甚至可以将强制拆迁涵括在内，不利于规范代履行。

如何规范代履行，当时有三种思路。第一种思路是从源头加强规范，规定只能由法律设定代履行。第二种思路是具有强制执行权的行政机关才能实施代履行。第三种是进一步明确代履行的适用范围，将代履行限定在“做好事”事项，由行政强制法普遍授权，不需要其他法律、法规再设定。经对现行法律、行政法规梳理，现行代履行规定主要在危害交通安全、环境污染和破坏自然资源领域，有权实施代履行的行政机关多没有强制执行权。如果采纳第一种和第二种思路，将会对现行行政管理做出较大调整，很多代履行规定也没有必要取消，因此最后采纳了第三种思路，进一步缩小代履行适用范围，将代履行限于后果已经或者将危害交通安全、造成环境污染或者破坏自然资源的情形。

三、代履行的实施主体

在立法过程中，对作出决定的行政机关能否具体实施代履行有争议。有的认为行政机关也能实施代履行，理由有：(1)代履行本意是由他人代为履行行政义务，由行政机关代为履行并不违背代履行的本意。(2)有利于减轻财政负担。在行政执法过程中，特别为当事人付出的人力、物力费用应当由当事人个别承担，不应由全体公民承担。行政机关可以实施代履行，既达到纠正违法行为的目的，又可以通过由当事人承担费用的形式达到惩戒的效果。(3)德国、日本都规定行政机关可以实施代履行。有的则认为代履行的实施主体应当是行政机关以外的第三人，理由有：(1)恢复行政秩序是行政机关的法定职责，行政执法行为所产生的人力、物力费用支出应当由税收负担。(2)不利于维护行政机关权威。行政机关在履行公务过程中,应当是超脱的,如果因执法行为收取费用,容易产生各种弊端。(3)由行政机关代为履行,将使代履行与直接强制执行更难区分。出于经济效益考虑,行政机关一般会倾向于自己代为履行,起到不好的引导作用。考虑到代履行在性质上可以与直接强制执行相区分,直接强制执行符合一定条件的也能收费,我国已有多部法律规定了行政机关可以代为履行,有的情况下行政机关更能把握分寸,也更了解政策法律,执行的效果将更好,因此行政强制法规定行政机关和第三人都可以实施代履行。至于行政机关在具体情形下能否代履行,可由单行法律作出规定。

四、代履行的法律依据

在立法过程中,对代履行是由本法普遍授权还是维持现行单行法授权有不同意见,核心是不同规范路径的选择。有的认为应当普遍授权,理由是:(1)从立法技术看,普遍授权后,就不用有关法律、行政法规再规定一遍代履行,避免各领域立法不平衡、规定不一致和立法资源浪费,防止损害法制的统一性和权威性。(2)代履行是一项"轻微""缓和"的行政措施,对当事人权益的损害不大,也有利于纠正违法行为,普遍赋予各行政机关有这个权力对社会影响不会太大。(3)德国、日本都将代履行普遍授权。有的则认为对代履行应慎重授权,考虑到我国的实际情况以及代履行强制性的强弱,建议代履行应当有法律、行政法规依据。(1)如果代履行确实是一项"轻微""缓和"的行政措施,就可以普遍授权。对此应当明确规定、慎重确认。现行单行法中很多将代履行作为强制性手段规定的，强制色彩很强，这需要理念和观念上的转变。(2)国外立法中普遍授权是有前提的。作为代履行的执行基础，原行政决定应当是确定的，当事人在法定期间内既没有申请复议，也没有提起诉讼。我国要将代履行普遍授权，应当尽可能保证执行基础的合法性，防止对尚有争议的行政决定实施代履行。考虑到行政强制法对代履行已作性质定位，代履行过程中第三人不能实施强制措施，强制性较弱，多数是"做好事"，对车辆代为采取防护措施、代为种树等不涉及当事人财产或者不减损当事人财产价值的建设性代履行，而非拆违章建筑等破坏性行为，因此可以在法律依据方面放宽规制，由行政强制法作普遍授权，无须单行法律再逐个授权。

需要注意两个问题。一是，代履行定位必须坚持。在设计代履行制度时，代履行定位非常重要，定位决定了接下来如何规范。将代履行定位于没有强制性的，当事人可以拒绝的执行方式，符合通行的间接强制优先，强制手段尽量少用、慎用的理念。在这种定位的前提下，明确了适用范围后，可以适当放宽设定权，行政强制法将代履行作了普遍授权，只要符合法定代履行的情形，所有行政机关都可以实施代履行，不需要法律、法规的单个授权，这既规范了行政权，平衡了行政管理关系，也解决了行政法规规定代履行的合法性，不至于对现实冲击太大。二是，代履行与执行罚都属于间接强制执行，本身都不属于行政强制执行权，执行罚缺乏物理性，代履行缺乏强制性。有行政强制执行权的行政机关实施强制执行时，可以先行实施代履行这种缓和的方式，这如同强制执行前需要教育和告诫。没有行政强制执行权的行政机关在申请法院强制执行前，可以先行实施代履行，用缓和的方法尽量解决行政争议。因此，有行政强制执行权的行政机关可以选择代履行，实施代履行的不一定是有行政强制执行权的行政机关。

第五十一条　代履行应当遵守下列规定：

（一）代履行前送达决定书，代履行决定书应当载明当事人的姓名或者名称、地址，代履行的理由和依据、方式和时间、标的、费用预算以及代履行人；

（二）代履行三日前，催告当事人履行，当事人履行的，停止代履行；

（三）代履行时，作出决定的行政机关应当派员到场监督；

（四）代履行完毕，行政机关到场监督的工作人员、代履行人和当事人或者见证人应当在执行文书上签名或者盖章。

代履行的费用依照成本合理确定，由当事人承担。但是，法律另有规定的除外。

代履行不得采用暴力、胁迫以及其他非法方式。

【释义】　本条是关于代履行的实施程序、费用等的规定。

一、关于实施程序

规范行政强制执行的程序是本法的一个重要内容，也是大家的共识，依法规范代履行，应当程序与实体并举。考虑到代履行有其自身特点,不能完全适用本法第四章第一节有关行政机关强制执行的一般规定,本条对代履行的程序作了规定。(1)作出代履行决定书并送达。实施代履行,必须作出书面的代履行决定,这是行政机关的一项法定义务,有利于规范代履行行为,使得代履行有凭有据,也有利于当事人维护自身的合法权益。代履行决定书应当送达。具体送达的规则,按照行政强制法第三十八条规定执行,直接送达优先,当事人拒绝接收或者无法直接送达的,依照民事诉讼法的规定送达。(2)代履行决定书内容。代履行决定书应当载明的事项包括:当事人的姓名或者名称、地址,明确被执行人基本情况,防止执行对象错误;代履行的理由和依据,主要是据于代履行的基础行政决定及实施代履行的理由和依据;代履行的方式和时间,明确拟实施代履行的具体方式和具体时间,使被执行人早作准备,不至于措手不及;代履行标的,明确对具体事项或者物体实施代履行;代履行的费用预算,明确实施代履行收取费用的数目和计算标准;代履行人,具体实施代履行的组织。代履行决定书内容是法定的,以期使得代履行更加明确和透明,从而促使当事人权衡利弊后自动履行义务。(3)催告。代履行的催告时间不同于行政强制执行,代履行是在代履行前三日进行催告,而行政强制执行是在作出行政强制执行决定前进行催告,催告得更早。关于催告的内容、形式和催告功能,适用行政强制法第三十五条、第三十六条的规定。(4)代履行时,作出决定的行政机关应当派员到场监督。主要是监督第三人是否按照委托合同代为履行义务的,在代为履行义务过程中有无违法行为。适用行政强制法第四十三条关于不得在夜间或者法定节假日实施行政强制执行，以及不得对居民生活采取停止供水、供电、供热等影响基本生活的方式迫使当事人履行义务的规定，也适用本条中不得采用暴力、胁迫以及其他非法方式的规定。(5)代履行完毕，行政机关到场监督的工作人员、代履行人和当事人或者见证人应当在执行文书上签名或者盖章，以确认代履行的结果。

二、关于收费

代履行收费标准一直是重点规范内容。有的提出，本法一定要规范代履行收费标准，否则极容易围绕着代履行这项公权力形成产业链，损害当事人利益。有的提出，前几年有关交警部门收取高额拖车费、交警部门指定停车场收取高额停车费等引起了社会高度关注。有的行政管理领域中，由于行政机关与第三人签订代履行协议时不关心费用，导致代履行费用虚高，甚至达到暴利的程度。因此，本条作了三项针对性规定：一是在代履行决定书中应当载明代履行预算费用，要求代履行费用应当事先基本明确。二是明确代履行费用按照成本合理确定。代履行本身不应是惩罚机制，不应以加大当事人负担为目的，因此代履行收费不能是纯粹商业性的，可以有一定利润，但应当以成本为基准将利润控制在一定范围内。三是代履行费用原则上由当事人承担，但法律另有规定的除外。如道路交通安全法规定交警拖车不得收取费用。《森林病虫害防治条例》规定在一定情况下，政府应当适当扶持和补助森林经营单位或者个人的森林病虫害防治费用等。

三、关于实施手段

在代履行过程中，行政机关或者委托第三人能实施什么样的手段来保证代履行的实施。目前，我国单行法中只规定可以代履行，没有规定具体实施手段。对此，有不同认识。有的认为代履行不是代执行，代为履行义务的主体不是行使行政职权，作为监督方的行政机关是到场监督，不应行政干预太多，因此代履行的手段是有限的，当事人不配合或者对代履行有异议的，应当停止代履行。有的将代履行定位于直接强制执行的替代物，认为在代履行过程中为了实现代履行目的，可以依法采取各种手段。行政强制法明确了代履行性质不是代执行，规定代履行不得以暴力、胁迫以及其他非法手段采取。

第五十二条　需要立即清除道路、河道、航道或者公共场所的遗洒物、障碍物或者污染物，当事人不能清除的，行政机关可以决定立即实施代履行；当事人不在场的，行政机关应当在事后立即通知当事人，并依法作出处理。

【释义】　本条是关于立即实施代履行的规定。

本条是代履行的特别规定，即立即代履行。立即代履行性质上属于代履行：(1)当事人的违法行为对正常行政管理秩序造成损害，当事人有消除危险、排除妨碍、恢复原状的义务；(2)行政机关有自行或者委托第三人代为履行该排除妨碍、恢复原状的义务；(3)可以按照成本确定收费。立即代履行主要考虑到在一些紧急情况，为了保护公共利益，需要保证行政效率，快速处置。立即代履行的特别之处在于：

第一，适用对象是特定的。代履行的适用对象是可替代性义务。可替代性义务的范围较广。立即代履行的适用对象是：清除道路、河道、航道或者公共场所的遗洒物、障碍物或者污染物的作为义务，是可替代性义务中的一小部分。

第二，授权形式是普遍授权。与一般代履行相同。立即代履行由本条作了普遍授权。换言之，任何行政机关只要在其职权范围内，符合本条规定条件的，都可以依照本法规定立即实施清除道路、河道、航道或者公共场所遗洒物、障碍物或者污染物。这么规定主要考虑是：交通安全关系到广大人民群众的出行，交通安全关系到广大人民群众的生命和财产安全，为了保障交通安全和顺畅，为了保证公共场所的可适用性，需要快速纠正违法行为，消除违法后果和不利影响，恢复正常的行政秩序。同时，清除遗洒物、障碍物和污染物不涉及对当事人财产权利的限制，是“做好事”，没有严格规范的必要，应当鼓励行政机关快速代履行。

第三，实施程序简易。代履行需要催告，但立即代履行中没有催告程序。当事人在场的，行政机关可以责令当事人予以清除，当事人不同意清除的，行政机关可以立即实施代履行。当事人不在场的，行政机关可径直实施代履行，事后应当立即通知当事人，依法收取代履行费用，并依法对该违法行为作出处罚等行政处理。在立即代履行中，尽管程序简化了，但当事人自动履行优先的原则也是适用的，一般也应当有书面代履行决定。

第五章　申请人民法院强制执行

第五十三条　当事人在法定期限内不申请行政复议或者提起行政诉讼，又不履行行政决定的，没有行政强制执行权的行政机关可以自期限届满之日起三个月内，依照本章规定申请人民法院强制执行。

【释义】 本条是关于非诉行政执行的规定。

根据行政诉讼法的规定，人民法院的行政强制执行包括两种：一是对人民法院行政判决、裁定的强制执行；二是非诉行政执行。因此，行政机关申请人民法院强制执行也包括两种：一是公民、法人或者其他组织拒绝履行人民法院生效的行政判决、裁定的，行政机关可以向第一审人民法院申请强制执行；二是具体行政行为的相对人对具体行政行为在法定期限内没有提起行政复议或者行政诉讼，行政机关可以申请人民法院强制执行，即非诉行政执行。本条即是关于非诉行政执行的规定。

一、申请强制执行的范围

行政法理论根据强制执行的方式（手段）是否直接强制性地实现行政决定义务的内容，把强制执行划分为间接强制执行和直接强制执行。间接强制执行包括代履行和执行罚。

直接强制执行包括划拨存款、汇款，拍卖或者依法处理查封、扣押的场所、设备或者财物，以及其他直接实现行政决定的义务方式。

关于执行罚，本法第四十五条规定，依法作出金钱给付义务的行政决定，当事人逾期不履行的，行政机关可以依法加处罚款或者滞纳金。行政处罚法第五十一条以普遍授权的形式规定，当事人到期不缴纳罚款的，作出行政处罚决定的行政机关可以每日按罚款数额的百分之三加处罚款。加处滞纳金由一些单行的法律、法规授权行政机关实施。

关于代履行，本法第五十条规定："行政机关依法作出要求当事人履行排除妨碍、恢复原状等义务的行政决定，当事人逾期不履行，经催告仍不履行的，其后果已经或者将危害交通安全、造成环境污染或者破坏自然资源的，行政机关可以代履行，或者委托没有利害关系的第三人代履行。"将采取"代履行"这种间接强制执行措施的权力普遍授予行政机关。

根据本法规定，行政机关的直接强制执行权由本法和其他法律规定。目前只有少数法律规定行政机关有直接强制执行权，例如税收征收管理法第四十条第一款、第二款规定："从事生产、经营的纳税人、扣缴义务人未按照规定的期限缴纳或者解缴税款，纳税担保人未按照规定的期限缴纳所担保的税款，由税务机关责令限期缴纳，逾期仍未缴纳的，经县以上税务局（分局）局长批准，税务机关可以采取下列强制执行措施：（一）书面通知其开户银行或者其他金融机构从其存款中扣缴税款；（二）扣押、查封、依法拍卖或者变卖其价值相当于应纳税款的商品、货物或者其他财产，以拍卖或者变卖所得抵缴税款。税务机关采取强制执行措施时，对前款所列纳税人、扣缴义务人、纳税担保人未缴纳的滞纳金同时强制执行。”绝大多数法律都没有赋予行政机关以直接强制执行权。

在金钱给付义务的执行过程中，行政机关采取了加处罚款或者滞纳金的执行罚手段，但当事人仍不履行义务的，如果法律没有赋予该行政机关以直接强制执行权，则该行政机关只能申请法院强制执行。

在作为义务的执行过程中，如果该义务不能代履行，法律没有赋予该行政机关直接强制执行权，则该行政机关只能申请法院强制执行。

有一个问题是值得讨论的，即如果法律赋予行政机关有直接强制执行权，行政机关还能不能向法院申请执行的问题。有些法律赋予行政机关以选择权，即行政机关可以自己强制执行，也可以申请人民法院强制执行。例如，税收征收管理法第八十八条第三款规定：“当事人对税务机关的处罚决定逾期不申请行政复议也不向人民法院起诉、又不履行的，作出处罚决定的税务机关可以采取本法第四十条规定的强制执行措施，或者申请人民法院强制执行。”最高人民法院《关于执行〈中华人民共和国行政诉讼法〉若干问题的解释》第八十七条第二款规定：“法律、法规规定既可以由行政机关依法强制执行，也可以申请人民法院强制执行，行政机关申请人民法院强制执行的，人民法院可以依法受理。”

在立法过程中，有的意见建议应明确行政机关有直接强制执行权的，行政机关可以自己执行，也可以申请人民法院执行。经过研究，本法没有采纳上述意见。理由是：本法不宜双重授权；法律赋予某些行政机关以直接强制执行权的主要目的是提高行政效率，迅速实现行政决定的目的。如果赋予行政机关直接强制执行权，又允许其申请法院执行，行政机关可能怠于行使自己的权力。这样会降低行政效率，达不到授权的目的。因此本法没有规定行政机关可以选择，至于特别法中赋予了行政机关以选择权，则依照特别法的规定执行。

二、申请强制执行的条件和期限

1. 申请强制执行的条件。行政机关申请人民法院强制执行其作出的行政决定的前提条件是：当事人（义务人）在法定期限内不申请行政复议或者提起行政诉讼，又不履行行政决定。行政机关作为申请人，需要向人民法院提供当事人不履行行政决定的证据。

2. 申请强制执行的期限。行政机关作出的行政决定，一般都会明确当事人自觉履行义务的期限。超过这个期限当事人没有履行的，没有直接强制执行权的行政机关要申请法院执行。申请法院执行，需要行政决定有最终的确定力和执行力。所谓“确定力和执行力”是指当事人没有在法律规定提起行政救济的期限内提起行政救济，则自此期限届满之日起，行政决定就具有了执行力，没有直接强制执行权的行政机关就可以申请法院强制执行。我国行政复议法和行政诉讼法关于行政救济的法定期限分别是：公民、法人或者其他组织申请行政复议的法定期限是六十日，自知道该具体行政行为之日起六十日内提出;公民、法人或者其他组织直接向人民法院提起诉讼的,应当在知道作出具体行政行为之日起三个月内提出。根据以上规定,会有以下三种结果:一是,如果法律规定行政复议是行政救济的最终程序,即当事人在行政复议后不能向法院起诉的,如果当事人在六十日内没有申请行政复议又不履行行政决定的,没有直接强制执行权的行政机关可以在当事人收到行政决定之日起六十日后的次日起三个月内申请法院强制执行。二是,法律规定实行复议前置制度,具体行政行为相对人不经复议不得向法院起诉。如果具体行政行为相对人在收到行政决定后,在法定期限内既不申请复议又不履行行政决定的,则行政机关可以向法院申请强制执行。三是,如果法律规定当事人可以直接向法院起诉,当事人在三个月内没有提起行政诉讼又不履行行政决定,行政机关可以申请法院强制执行。本条对行政机关申请人民法院强制执行的期限作了规定,即从当事人行使行政救济的法定期限届满之日起三个月内,可以申请人民法院强制执行,这样规定是为了促使行政机关及时提出执行申请,提高行政效率。超过此期限的,人民法院不予执行。

关于向人民法院申请强制执行的期限,还有以下四个问题需要说明:

一是,申请执行期限的起算点问题。本条规定,没有强制执行权的行政机关可以自期限届满之日起三个月内,申请人民法院强制执行。这三个月的期限应以哪一天为起算点?我国民法通则规定的期间计算方法是以历法为计算方法,即以日、月、年计算期间的，开始的当天不算入，从下一天开始计算。按此规定，行政机关申请人民法院强制执行的三个月的起算日应从当事人申请行政救济的期间届满之日的次日起算。例如，某人于2011年4月30日收到行政处罚决定书，他向法院提起行政诉讼的三个月的期限应从5月1日至7月31日。如果他在该期间内没有提起行政诉讼，则行政机关申请人民法院强制执行的期间应从8月1日至10月31日。

二是，申请执行期限定为多长时间为适宜。最高人民法院《关于执行〈中华人民共和国行政诉讼法〉若干问题的解释》第八十八条规定："行政机关申请人民法院强制执行其具体行政行为，应当自被执行人的法定起诉期限届满之日起180日内提出。逾期申请的，除有正当理由外，人民法院不予受理。"这一期限比本条规定的期限超出一倍。在立法过程中，考虑到为了提高行政效率，将行政机关申请法院强制执行的期限规定为三个月，司法解释的这一规定将不再适用。

三是，当事人申请行政救济的法定期限以特别法规定为准。行政复议法和行政诉讼法都规定，其他法律对当事人提起行政复议或者提起行政诉讼的期限另有规定的，依照特别法的规定执行。例如土地管理法第八十三条规定："依照本法规定，责令限期拆除在非法占用的土地上新建的建筑物和其他设施的，建设单位或者个人必须立即停止施工，自行拆除；对继续施工的，作出处罚决定的机关有权制止。建设单位或者个人对责令限期拆除的行政处罚决定不服的，可以在接到责令限期拆除决定之日起十五日内，向人民法院起诉；期满不起诉又不自行拆除的,由作出处罚决定的机关依法申请人民法院强制执行,费用由违法者承担。”按此规定,如果行政处罚决定中规定当事人在收到行政决定之日起十五日自觉履行义务,同时,如果对处罚决定不服,在收到行政处罚决定之日起十五日内向人民法院直接提起行政诉讼。但该当事人在收到行政处罚决定之日起十五日内没有提起行政诉讼,又没有自觉履行义务,按照本条规定,行政机关可以在当事人收到行政处罚决定十五日期满之日起的三个月内向人民法院申请强制执行。

四是,三个月的期间为除斥期间还是诉讼时效的性质?民事诉讼法第二百一十五条第一款规定:“申请执行的期间为二年。申请执行时效的中止、中断,适用法律有关诉讼时效中止、中断的规定。”从以上规定可以看出,民事案件的当事人向法院申请的期间为诉讼时效的性质。最高人民法院《关于执行〈中华人民共和国行政诉讼法〉若干问题的解释》第八十八条规定:“行政机关申请人民法院强制执行其具体行政行为,应当自被执行人的法定起诉期限届满之日起180日内提出。逾期申请的,除有正当理由外,人民法院不予受理。”以上规定很不明确,似乎为诉讼时效的性质,因为有正当理由的,可以延长申请的期间。经过研究认为,本条规定的三个月的期间为除斥期间。理由是行政机关申请人民法院执行其行政决定,是出于公共利益,与民事案件当事人申请法院执行是处分自己的私权利不同。为了提高行政效率,维护公共利益,行政机关应在一个不变的期间内向法院申请强制执行,因此本条规定的三个月即为除斥期间,没有中止、中断之说。

三、关于人民法院强制执行的程序

行政机关向人民法院申请执行行政决定,一般称为非诉行政执行。人民法院立案受理后的具体执行程序,本法有一些规定,但比较简单,主要适用行政诉讼法和民事诉讼法的有关规定。我国民事诉讼法第三编规定了相对完备的"执行程序",人民法院的"非诉行政执行"除适用本法、行政诉讼法和有关司法解释的规定外,应当参照适用民事诉讼法的有关规定。最高人民法院《关于执行〈中华人民共和国行政诉讼法〉若干问题的解释》第九十七条规定:"人民法院审理行政案件,除依照行政诉讼法和本解释外,可以参照民事诉讼的有关规定。"

行政机关向人民法院申请强制执行金钱给付义务案件,人民法院裁定执行的,原则上由人民法院依照民事诉讼规定的相关程序执行。依照本法第四十六条第三款的规定,没有直接强制执行权的行政机关作出的金钱给付义务的行政决定,该行政机关应当申请人民法院强制执行。例如,人口与计划生育法第四十一条规定:"不符合本法第十八条规定生育子女的公民,应当依法缴纳社会抚养费。未在规定的期限内足额缴纳应当缴纳的社会抚养费的,自欠缴之日起,按照国家有关规定加收滞纳金;仍不缴纳的,由作出征收决定的计划生育行政部门依法向人民法院申请强制执行。"根据人口与计划生育法的上述规定,行政机关只能采取"执行罚"的间接强制执行措施,如果当事人仍不履行义务的,行政机关只能申请人民法院执行。由于执行金钱给付义务可能涉及查封、扣押当事人财产或者冻结划拨账户存款，这些措施对当事人影响重大，所以在人民法院裁定执行后，应由人民法院自己执行。人民法院在执行金钱给付义务的行政决定的程序中，可以采取民事诉讼法规定的强制执行措施。例如按照民事诉讼法第二百一十九条的规定，人民法院可以向被执行人所在单位发出协助执行通知书，扣留、提取被执行人应当履行义务部分的收入。也可以按照第二百二十一条和第二百二十三条的规定，查封、扣押被执行人的财产，如果被执行人在指定的期间内仍不履行义务，则人民法院可以将查封、扣押的财产依法拍卖、变卖，用拍卖、变卖的价款抵缴罚款等金钱给付义务。

对于金钱给付以外的案件，行政机关申请人民法院强制执行，人民法院在审查后裁定执行的，原则上由人民法院依照民事诉讼法规定的相关程序执行，但也不排除在人民法院审查裁定执行后，由行政机关具体组织实施。关于由人民法院自己执行，例如，行政机关申请人民法院强制当事人迁出房屋或者强制当事人退出土地的案件，依照民事诉讼法第二百二十六条规定，首先由法院院长签发公告，责令被执行人在指定期间自觉履行。被执行人逾期不履行的，由法院的执行员强制执行。强制执行时，被执行人是公民的，应当通知被执行人或者他的成年家属到场；被执行人是法人或者其他组织的，应当通知其法定代表人或者主要负责人到场。拒不到场的，不影响执行。被执行人是公民的，其工作单位或者房屋、土地所在地的基层组织应当派人参加。执行员应当将强制执行情况记入笔录，由在场人签名或者盖章。强制迁出房屋被搬出的财物，由人民法院派人运至指定处所，交给被执行人。被执行人是公民的，也可以交给他的成年家属。因拒绝接收而造成的损失，由被执行人承担。

第五十四条　行政机关申请人民法院强制执行前，应当催告当事人履行义务。催告书送达十日后当事人仍未履行义务的，行政机关可以向所在地有管辖权的人民法院申请强制执行；执行对象是不动产的，向不动产所在地有管辖权的人民法院申请强制执行。

【释义】　本条是关于行政机关申请人民法院强制执行前的催告程序与执行管辖的规定。

一、申请法院执行前的催告程序

催告程序，是指当义务人逾期不履行生效法律文书中指定的行政义务时，行政机关通知义务人在一定期限内自觉履行义务，并告之相对人不履行义务将要产生对其不利后果的程序。

催告的目的是使当事人明悉强制执行的可能性，督促其履行义务，不经催告就实施执行，不利于保护当事人的合法权益。这一程序无论是在行政机关自身强制执行中，还是在申请人民法院强制执行中，都是一个不可缺少的必经步骤。这一步骤从实质上说，是对相对人的再一次说服教育，有助于实现“自动履行”的原则。与本法总则第六条中的立法精神也是一致的，本法总则第六条规定：“实施行政强制，应当坚持教育与强制相结合。”

本条所讲的催告程序是行政机关申请人民法院强制执行前的催告程序，与本法第四章所规定的行政机关自己实施强制执行中催告程序是相对应的。因此，本条中的催告也应当具备以下要求：(1)催告应当以书面形式作出；(2)催告书应当载明本法第三十五条所列的事项，即当事人履行义务的期限、履行义务的方式、涉及金钱给付的，应当明确金额和给付方式、当事人依法享有的陈述权和申辩权；(3)当事人不履行义务的后果。

申请法院强制执行的催告程序与行政机关自己强制执行中的催告程序规定了一个不同点，即在申请法院强制执行催告程序中设定了一个期限，“催告书送达十日后当事人仍未履行义务的，行政机关可以向所在地有管辖权的人民法院申请强制执行”。这里面有一个问题，就是这里“十日”的期限与催告书中所列的“履行期限”之间的关系。在这里的“十日”可以理解为就是催告书中所列的“履行期限”，也就是说催告书中所列的履行期限不应超过十日。至于这个期限如何计算，可以在行政复议或者行政诉讼期限届满之日的前十日向当事人发出催告书，如果当事人在此十日内不履行义务，又赶上当事人申请行政救济的期限届满，则行政机关即可从届满之日起向法院申请强制执行。当然行政机关也可以在当事人申请行政救济的期限届满后向当事人发出催告书，如果这样，则只能是在催告书送达十日后当事人仍未履行义务的情况下，行政机关方可向法院申请强制执行。规定这一时限的目的,一方面是为了督促当事人尽快履行义务;另一方面也是为了监督行政机关履行职责,提高行政效率。

“送达”程序可以参考民事诉讼法第七章关于送达的规定。一般情况下应直接送达。

二、非诉行政强制执行管辖

执行案件管辖,是指根据法律规定,在人民法院系统内部就执行案件所作的分工和权限划分。包括上下级人民法院之间的级别管辖和同级人民法院之间的地域管辖。划分执行管辖的目的,在于就案件的执行进行适当的分工。规定案件的执行法院,使当事人可以直接向有管辖权的人民法院申请执行,避免申请执行无门和人民法院之间互相推诿或争夺管辖权,便于当事人行使申请执行权和人民法院及时、正确地开展执行工作。

我国行政诉讼法没有单独对非诉强制执行案件的管辖作出系统规定。关于非诉强制执行案件管辖的规定主要反映在最高人民法院《关于执行〈中华人民共和国行政诉讼法〉若干问题的解释》和《关于人民法院执行工作若干问题的规定(试行)》中。作为非诉行政强制执行案件的管辖也可以参照诉讼管辖的一般规定。

1. 关于非诉行政执行案件的级别管辖。最高人民法院《关于执行〈中华人民共和国行政诉讼法〉若干问题的解释》第八十九条规定:“行政机关申请人民法院强制执行其具体行政行为,由申请人所在地的基层人民法院受理;执行对象为不动产的,由不动产所在地的基层人民法院受理。”由申请人所在地的基层人民法院受理执行案件管辖是确定非诉行政执行管辖的一般原则。基层人民法院是我国法院体系的基层单位,数量多,分布广,不管是当事人所在地还是争议财产所在地、行为地一般都在基层人民法院的辖区内,由基层人民法院执行,便于法院及时审理案件,开展执行活动,采取执行措施。因此,一般的非诉行政强制执行案件原则上还是由基层人民法院执行。

本条在第四次审议时,将"由申请人所在地的基层人民法院受理"中的"基层人民法院"改为"有管辖权的人民法院"。作此修改主要是考虑非诉行政强制执行案件比较复杂,不能完全由基层人民法院作为非诉行政执行的管辖法院。从诉讼管辖中的级别管辖的一般原则考虑,某些重大、复杂、在本辖区内有重大影响的案件也可以由中级人民法院,甚至高级人民法院作为行政诉讼的一审法院。作为非诉行政执行,也可以参照诉讼管辖的这一原则,即当事人在法定期限内没有提起行政救济而被行政机关申请法院强制执行的情形,按照诉讼管辖的管辖法院如果是中级人民法院甚至高级人民法院的话,那么非诉行政执行的管辖法院也相应的应该是中级人民法院或者高级人民法院,即行政机关应当按照级别管辖的一般原则向有管辖权的中级人民法院或高级人民法院申请强制执行,并非完全由基层人民法院作为非诉行政执行的管辖法院。

2. 非诉行政执行的地域管辖。本条和最高人民法院《关于执行〈中华人民共和国行政诉讼法〉若干问题的解释》虽然原则规定由申请人所在地的人民法院作为非诉行政执行的管辖法院，但也有以下三种例外情况：

一是，本条规定的关于不动产的非诉行政执行，即执行对象是不动产的，行政机关应当向不动产所在地的人民法院申请强制执行。

二是，根据1998年最高人民法院《关于人民法院执行工作若干问题的规定（试行）》的规定，对于专利处理决定和处罚决定的管辖，由被执行人住所地或财产所在地的省、自治区、直辖市有权受理专利纠纷案件的中级人民法院执行。有管辖权的中级人民法院指有权受理专利纠纷案件的中级人民法院，主要是：北京市第一中级人民法院，各省、自治区、直辖市人民政府所在地的中级人民法院，经济特区中级人民法院以及设有专利管理机关的较大城市的中级人民法院。

三是，根据最高人民法院《关于人民法院执行工作若干问题的规定（试行）》的规定，国务院各部门，各省、自治区、直辖市人民政府和海关依照法律、法规作出的处理决定和处罚决定，由被执行人住所地或财产所在地的中级人民法院执行。

3. 非诉行政强制执行的移送管辖。在实践中，行政机关申请执行其具体行政行为的案件，由于受多方面因素的影响，有些案件的情况比较复杂，基层法院执行工作可能受到干预，执行工作的难度比较大，一律由基层人民法院执行难以达到执行的目的。为提高执行效率，可以由基层人民法院或中级人民法院报请上一级人民法院执行。最高人民法院《关于执行〈中华人民共和国行政诉讼法〉若干问题的解释》规定：“基层人民法院认为执行确有困难的，可以报请上级人民法院执行；上级人民法院可以决定由其执行，也可以决定由下级人民法院执行。”

4. 关于专门人民法院。最高人民法院《关于执行〈中华人民共和国行政诉讼法〉若干问题的解释》第六条第二款规定：“专门人民法院、人民法庭不审理行政案件，也不审查和执行行政机关申请执行其具体行政行为的案件。”也就是说，专门人民法院不具有非诉行政执行的管辖权。

第五十五条　行政机关向人民法院申请强制执行，应当提供下列材料：

（一）强制执行申请书；

（二）行政决定书及作出决定的事实、理由和依据；

（三）当事人的意见及行政机关催告情况；

（四）申请强制执行标的情况；

（五）法律、行政法规规定的其他材料。

强制执行申请书应当由行政机关负责人签名，加盖行政机关的印章，并注明日期。

【释义】　本条是关于向人民法院申请强制执行应当提供哪些材料的规定。

行政机关的申请是人民法院强制执行的前提和第一个环节，人民法院只有在收到行政机关的执行申请后，才开始决定是否执行，行政机关申请强制执行时，必须向法院提交相应的材料，以便司法机关进行审查。按照最高人民法院《关于执行〈中华人民共和国行政诉讼法〉若干问题的解释》第九十一条规定："行政机关申请人民法院强制执行其具体行政行为，应当提交申请执行书、据以执行的行政法律文书、证明该具体行政行为合法的材料和被执行人财产状况以及其他必须提交的材料。享有权利的公民、法人或者其他组织申请人民法院强制执行的，人民法院应当向作出裁决的行政机关调取有关材料。"本条吸收了最高人民法院《关于执行〈中华人民共和国行政诉讼法〉若干问题的解释》的规定，又作了进一步明确。根据本条规定，应当提交的材料包括：

1. 强制执行申请书：行政机关申请人民法院强制执行，不能以口头形式进行，而必须是以书面形式。申请强制执行书，是行政机关申请人民法院强制执行其具体行政行为的书面表现形式，也是申请行为的形式要件。申请执行书内容应包括：(1)表明行政机关申请法院强制执行的意见；(2)申请执行机关的名称、法定代表人；(3)被执行人的姓名或名称、住址等内容；(4)本条第二款还规定了强制执行申请书应当由行政机关负责人签名，加盖行政机关的印章，并注明日期。

2. 行政决定书及作出该决定的事实、理由和依据。行政决定书是行政机关作出具体行政行为的文字表现形式，是行政机关申请人民法院强制执行的根据，是申请执行必不可少的材料之一。如果行政机关没有作出或者不能提供据以执行的法律文书，执行就会缺少根据无法进行，法院也无从进行审查。除需要提交法律文书外，应当载明与执行有关的事项，这些事项包括：具体行政行为的主要内容、理由和根据，以及义务人拒不履行义务的事实等。还需要提交证明被执行的具体行为的合法材料。这些材料包括:行政机关具有作出该具体行政行为的权限;行政机关据以作出该具体行政行为的事实和相关证据;行政机关作出该具体行政行为的法律依据等。

3. 当事人的意见及行政机关催告情况。本法第五十四条规定了行政机关在向法院申请强制执行前,应当催告当事人履行义务。催告是申请法院强制执行的先决条件。行政机关是否履行催告程序,当事人是否接到催告书,催告书规定的履行期限是否已经到达,当事人是否提出异议等,如当事人在催告期间履行了应当履行的义务,行政机关就不需要申请法院强制执行,人民法院也将不予受理。

4. 申请强制执行标的情况。在诉讼程序中,诉讼标的是指双方当事人争讼的权利和义务;在执行程序中,执行标的是具有给付内容的法律文书所确定的给付内容,是法院强制执行行为所指向的对象,它包括财产和行为两个方面。人民法院的执行活动,目的是要使生效的法律文书得以实现,落实生效法律文书既定的权利和义务的给付内容。因此,执行标的应是生效法律文书所确定的权利、义务的给付内容。执行标的包含以下要素:(1)权利和义务关系;(2)给付方式,即以何种方式兑现既定的权利和义务,如给付金钱、交付财物、完成行为等;(3)给付的物质种类,如现金、实物、行为等;(4)数额或要求,即物的价值、数目和具体标准。

5. 法律、行政法规规定的其他材料。这是一项兜底条款。除了以上四项情况外，可能还有其他需要行政机关提交的材料。

以上材料必须齐全，缺一不可，按照本法第五十七的规定，人民法院对行政机关的申请要进行书面审查，对申请材料是其中重要的一项审查内容。

第五十六条　人民法院接到行政机关强制执行的申请，应当在五日内受理。

行政机关对人民法院不予受理的裁定有异议的，可以在十五日内向上一级人民法院申请复议，上一级人民法院应当自收到复议申请之日起十五日内作出是否受理的裁定。

【释义】　本条是关于人民法院对行政机关申请强制执行受理与救济的规定。

按照本章的规定，非诉行政强制执行程序，分为申请、受理、审查、裁定执行或不予执行几个步骤。本条是关于人民法院是否受理行政机关申请的程序规定。

一、关于受理

是否决定受理是人民法院依据国家司法权力对行政机关提出强制执行的申请进行审查的单方面行为的结果，是执行程序能否开始的关键。按照本条的规定，人民法院对行政机关申请的强制执行原则上都应受理。但对于一些不符合受理条件的，人民法院也可以裁定不予受理。

申请人申请执行非诉行政行为必须符合一定条件，只有在符合法定条件的情况下，人民法院才予以受理，否则裁定不予受理。最高人民法院《关于执行〈中华人民共和国行政诉讼法〉若干问题的解释》第八十六条规定行政机关根据行政诉讼法的规定，执行其具体行政行为，应当具备以下条件：（1）具体行政行为依法可以由人民法院执行的，即法律、法规没有赋予行政机关强制执行权，行政机关申请人民法院强制执行的，人民法院应当依法受理。（2）具体行政行为已经生效并具有可执行内容。已经生效是指行政行为已经符合生效条件，包括行政行为期限条件等已经满足。具有可执行的内容是指行政行为具有可强制执行的标的，如金钱给付，能够强制作为或者替代履行。（3）申请人是作出该具体行政行为的行政机关或者法律、法规、规章授权的组织。申请人主要包括：①作出该具体行政行为的行政机关；②法律、法规、规章授权的组织作出的行政行为。（4）被申请人是该具体行政行为所确定的义务人。该义务人是行政行为确定的直接的行政相对人。（5）被申请人在具体行政行为确定的期限内或者行政机关另行指定的期限内未履行义务。被申请人在指定的期限内履行了行政行为确定的义务，人民法院就不能受理行政机关强制执行的申请。（6）申请人在法定期限内提出申请。“法定期限”包括：①本法第五十三条规定：当事人在法定期限内不申请行政复议或者提起行政诉讼，又不履行行政决定的，没有行政强制执行权的行政机关可以自期限届满之日起三个月内，依照本章规定申请人民法院强制执行。超过三个月申请人民法院强制执行的，人民法院不予受理。②“催告期”，本法第五十四条规定：催告书送达十日后当事人仍未履行义务的，行政机关可以向所在地有管辖权的人民法院申请强制执行。③申请行政复议或者提起行政诉讼期间，不能申请法院强制执行。(7)被申请执行的行政案件属于受理申请执行的人民法院管辖。这一条件要求申请人必须向有管辖权的人民法院提出申请。

按照最高人民法院《关于执行〈中华人民共和国行政诉讼法〉若干问题的解释》第八十六条第二款的规定，只有符合以上条件的申请，人民法院才立案受理，对不符合以上条件的申请，人民法院裁定不予受理。

二、对不予受理的救济

人民法院对行政机关的申请裁定不予受理的，如果行政机关对此裁定有异议可以在收到裁定之日的次日起十五日内向上级人民法院申请复议。上一级人民法院应当在收到复议申请之日起十五日内作出是否受理的裁定。如果上一级人民法院经过复议，作出不予受理的裁定，该裁定为终局裁定。行政机关可以分别情况对行政决定的执行问题作出处理。例如，在有可能的情况下，对行政决定的形式瑕疵和内容瑕疵作出相应修改，以符合人民法院的受理条件；如果是因为人民法院没有管辖权而被裁定不予受理的，行政机关可向有管辖权的人民法院提出申请。

第五十七条　人民法院对行政机关强制执行的申请进行书面审查，对符合本法第五十五条规定，且行政决定具备法定执行效力的，除本法第五十八条规定的情形外，人民法院应当

自受理之日起七日内作出执行裁定。

【释义】 本条是关于人民法院对执行申请进行书面审查的规定。

行政机关申请人民法院强制执行其作出的行政决定，人民法院理应对申请进行必要的审查。审查的形式是书面审查。书面审查的形式有别于开庭审查或者召开听证会审查的形式，即主要以行政机关提供的书面材料为主进行的审查，相当于形式审查。审查的内容主要有：

第一，行政机关是否是在法定期限内提出的申请。本法第五十三条规定，没有直接强制执行权的行政机关应当在当事人申请行政救济的法定期限届满之日起三个月内申请人民法院强制执行。本法对行政机关逾期申请的法律后果未作明确规定，一般来讲，只要行政机关没有在三个月的期限内向法院提出申请，要承担不被法院受理的法律后果。最高人民法院《关于执行〈中华人民共和国行政诉讼法〉若干问题的解释》第八十八条规定，行政机关逾期申请的，除有正当理由外，人民法院不予受理。

第二，行政机关是否按照本法第五十五条的规定，提供了齐备的申请材料。本法第五十五条第一款规定："行政机关向人民法院申请强制执行，应当提供下列材料：（一）强制执行申请书；（二）行政决定书及作出决定的事实、理由和依据；（三）当事人的意见及行政机关催告情况；（四）申请强制执行标的情况；（五）法律、行政法规规定的其他材料。"

第三，行政决定是否具备法定执行效力。所谓"行政决定具备法定执行效力”是指行政决定已经发生法律效力，包括在复议、诉讼期间没有复议或诉讼，加处罚款或者滞纳金超过三十日后，当事人仍不履行的情形。行政决定只有发生法律效力，才具有执行效力。

第四，行政决定不具有本法第五十八条规定的三项情形。人民法院对执行申请进行书面审查的过程中，没有发现行政决定具有本法第五十八条规定的三项情形：(1)明显缺乏事实根据的；(2)明显缺乏法律、法规依据的；(3)其他明显违法并损害被执行人合法权益的。

人民法院通过对以上四项内容的书面审查，认为没有问题的，应当自受理之日起七日内作出执行裁定。

第五十八条　人民法院发现有下列情形之一的，在作出裁定前可以听取被执行人和行政机关的意见：

（一）明显缺乏事实根据的；

（二）明显缺乏法律、法规依据的；

（三）其他明显违法并损害被执行人合法权益的。

人民法院应当自受理之日起三十日内作出是否执行的裁定。裁定不予执行的，应当说明理由，并在五日内将不予执行的裁定送达行政机关。

行政机关对人民法院不予执行的裁定有异议的，可以自收到裁定之日起十五日内向上一级人民法院申请复议，上一级人民法院应当自收到复议申请之日起三十日内作出是否执行的裁定。

【释义】　本条是关于人民法院对执行申请进行实质审查的规定。

一、书面审查与实质审查的关系

本法第五十七条规定，人民法院对行政机关的执行申请只进行书面审查，但在书面审查的过程中，发现行政决定明显缺乏事实根据，或者明显缺乏法律、法规依据，以及其他明显违法并损害被执行人合法权益的，在作出裁定前可以听取被执行人和行政机关的意见。听取意见后，如果认定行政决定不是明显缺乏事实根据，或者明显缺乏法律、法规依据，以及其他明显违法并损害被执行人合法权益的，应当在三十日内作出执行裁定；如果认定行政决定明显缺乏事实根据，或者明显缺乏法律、法规依据，以及其他明显违法并损害被执行人合法权益的，应当在三十日内作出不予执行的裁定，并加附理由，在裁定作出后五日内送达行政机关。

从以上规定可以看出，人民法院对行政机关的执行申请除进行书面审查外，还可以主动性地进行实质审查。

二、实质审查的必要性

最高人民法院《关于执行〈中华人民共和国行政诉讼法〉若干问题的解释》第九十三条规定："人民法院受理行政机关申请执行其具体行政行为的案件后，应当在30日内由行政审判庭组成合议庭对具体行政行为的合法性进行审查，并就是否准予强制执行作出裁定；需要采取强制执行措施的，由本院负责强制执行非诉行政行为的机构执行。"从以上规定可以看出，所谓"对具体行政行为的合法性进行审查"，就是实质审查。

在立法过程中,有的意见认为,法律已经给当事人提供了行政复议或者行政诉讼的救济途径,当事人在不行使申请救济的权利,又不履行行政决定确定的义务的前提下,行政机关才向法院申请执行。因此,法院除了对申请进行形式审查,如申请材料是否齐全、自己是否有管辖权、申请是否逾期等外,没有必要主动性地对所申请的具体行政行为的合法性进行审查。经过研究,以上意见没有被采纳。理由是:我国目前行政执法的状况还不尽如人意,行政执法中的违法情况屡见不鲜。同时,国民的法制观念有待于进一步提高,有些具体行政行为相对人权利自我保护意识淡漠,没有在法定期间内提起行政救济。如果人民法院对行政机关的执行申请不作实质审查,就会将错就错,甚至错上加错,有损法律的公正。

三、对行政机关的救济程序

本条第三款规定,行政机关对人民法院不予执行的裁定有异议的,可以自收到裁定之日起十五日内向上一级人民法院申请复议,上一级人民法院应当自收到复议申请之日起三十日内作出是否执行的决定。

这里有一个问题需要说明:如果上一级法院经过复议之后,以裁定的形式维持了下一级法院不予执行的裁定,那么行政决定如何处理?从理论上讲,行政决定的法律效力主要体现在其具有强制执行力,即靠国家强制力保障其实施。如果行政决定经过两级法院以裁定的形式不予执行,说明该行政决定已失去执行效力,即丧失了法律效力,如同行政诉讼中具体行政行为被人民法院判决撤销的效果一样。

第五十九条 因情况紧急，为保障公共安全，行政机关可以申请人民法院立即执行。经人民法院院长批准，人民法院应当自作出执行裁定之日起五日内执行。

【释义】 本条是关于情况紧急情况下申请法院立即执行的规定。

本法第五十六条、第五十七条和第五十八条规定了法院对强制执行申请的审查受理期限和裁定执行的期限。本条是对本法第五十六条、第五十七条和第五十八条的例外规定。

一、什么情况下立即申请执行

按照本条规定，在情况紧急时，为了保障公共安全，行政机关可以申请人民法院立即执行其行政决定，因此，只要符合情况紧急和保障公共安全的需要两个条件，就可以申请人民法院立即执行，不受第五十六条、第五十七条和第五十八条规定的限制。至于什么情况属于情况紧急，是否属于保障公共利益，由行政机关根据具体情况作出判断，最后由人民法院进行裁量。当然，如果法律、法规对情况紧急的情形作出规定，则依法律、法规的规定。

二、立即申请执行的程序

人民法院收到行政机关的申请后，也应当对申请进行书面审查，如申请材料是否齐全、自己是否有管辖权、申请是否逾期等。如果行政机关的申请不存在以上问题，同时人民法院也认可行政机关的申请属于情况紧急的情形，经人民法院院长批准，人民法院应当及时受理并作出执行裁定，并在作出执行裁定之日起五日内开始执行。

第六十条　行政机关申请人民法院强制执行，不缴纳申请费。强制执行的费用由被执行人承担。

人民法院以划拨、拍卖方式强制执行的，可以在划拨、拍卖后将强制执行的费用扣除。

依法拍卖财物，由人民法院委托拍卖机构依照《中华人民共和国拍卖法》的规定办理。

划拨的存款、汇款以及拍卖和依法处理所得的款项应当上缴国库或者划入财政专户，不得以任何形式截留、私分或者变相私分。

【释义】　本条是关于执行费用的支出以及执行所得款项处理的规定。

一、是否缴纳申请费的问题

从理论上讲，行政机关申请法院强制执行其作出的行政决定，是出于社会管理及公益的目的，如果缴纳申请费也要由财政负担，人民法院收取申请费后，还要返回财政。因此行政机关向法院缴纳申请费实无必要，由此本条规定行政机关申请人民法院强制执行，不缴纳申请费。行政机关向法院申请执行不缴纳申请费，是多数国家或地区的通例。例如我国台湾地区“行政执行法”第二十五条规定：“有关本章之执行，不征收执行费。但因强制执行所支出之必要费用，由义务人负担之。”

司法实践中关于行政机关申请人民法院强制执行是否缴纳申请费的问题,我国也是经历了一个由缴费到不缴费的过程。最高人民法院于1984年9月15日印发了《民事诉讼收费办法(试行)》,该司法解释已经失效。但其第十一条第二款规定,行政机关向人民法院申请执行其作出的行政决定的,申请人应当预交申请执行费十元至五十元。执行标的之金额或价额在五万元以上的,申请执行费按千分之一预交。执行完毕,申请执行费用和实际支出的执行费用,一并由被申请人负担。最高人民法院于1991年6月11日颁布了《关于贯彻执行〈中华人民共和国行政诉讼法〉若干问题的意见(试行)》,该司法解释也已失效。但其第八十八条规定,对行政机关申请人民法院强制执行其具体行政行为的,被执行的款、物,交申请执行的行政机关,人民法院依法收取执行费用。人民法院向行政机关收取执行费用的做法一直到2007年4月1日才告终止。国务院于2006年12月19日颁布了《诉讼费用交纳办法》,自2007年4月1日起起施行。该办法第十条规定,当事人依法向人民法院申请执行人民法院发生法律效力的判决、裁定、调解书,仲裁机构依法作出的裁决和调解书,公证机构依法赋予强制执行效力的债权文书的,应当交纳申请费。没有规定行政机关申请人民法院强制执行其作出的行政决定时而需要缴纳申请费的问题,即非诉行政执行不再向法院预交执行费用。当然,是本法第一次明确规定属于非诉行政执行的,行政机关无须向法院缴纳执行费用。

二、强制执行的费用由谁负担的问题

根据民事诉讼法第一百零七条规定，诉讼费用包括案件受理费和在案件审理过程中所实际支出的费用。案件受理费在有些国家称为“规费”，具有税收的性质。在案件审理过程中所实际支出的费用，如证人、鉴定人、翻译人员、理算人员在人民法院指定日期出庭发生的交通费、住宿费、生活费和误工补贴等。就执行案件而言，执行费用也是由两方面构成，申请费属于案件受理费的性质，而在执行过程中也会发生所必须支出的费用，此两方面即构成了“强制执行的费用”。

从一些国家或地区的立法来看，法院对非诉行政执行不收取案件受理费（即我国的申请费）是通例，我国也是如此，但均强调在执行案件过程中所实际支出的费用由被执行人负担。例如我国台湾地区“行政执行法”第二十五条规定：“有关本章之执行，不征收执行费。但因强制执行所支出之必要费用，由义务人负担之。”因此，本条第一款关于“强制执行的费用由被执行人承担”的规定，实际指在执行案件过程中所实际支出的费用由被执行人承担。

本条第二款规定，人民法院以拍卖方式强制执行的，可以在拍卖后将强制执行的费用扣除。这里“强制执行的费用”指的是拍卖过程中所实际支出的费用。关于在拍卖过程中所实际支出的费用，有人将拍卖人所收取的佣金视为拍卖过程中所实际支出的费用，这是一种错误的理解。按照拍卖法的规定，拍卖充抵罚款的物品以及依法没收的物品，拍卖成交后，由拍卖人向买受人收取一定比例的佣金。由于佣金是由买受人支付的，因此佣金并不是执行中实际支出的费用。这里实际支出的费用一般包括：一是拍卖标的的运输、保管费用；二是拍卖前，对拍卖标的评估费用；三是拍卖程序中，对拍卖标的的鉴定费用等。应当指出的是，在拍卖后将强制执行的费用扣除，实际是贯彻由被执行人负担的原则。

三、人民法院委托拍卖的程序

本条第三款规定，依法拍卖财物，由人民法院委托拍卖机构依照《中华人民共和国拍卖法》的规定办理。拍卖法第九条规定："国家行政机关依法没收的物品，充抵税款、罚款的物品和其他物品，按照国务院规定应当委托拍卖的，由财产所在地的省、自治区、直辖市的人民政府和设区的市的人民政府指定的拍卖人进行拍卖。拍卖由人民法院依法没收的物品，充抵罚金、罚款的物品以及无法返还的追回物品，适用前款规定。"第五十七条规定："拍卖本法第九条规定的物品成交的，拍卖人可以向买受人收取不超过拍卖成交价百分之五的佣金。收取佣金的比例按照同拍卖成交价成反比的原则确定。拍卖未成交的，适用本法第五十六条第三款的规定。"

四、关于执行款项的处理

人民法院在执行中有一专业术语——"执行款"。执行款包括人民法院在执行程序中划拨的存款、汇款，以及拍卖所得款项等。在最近几年的法官职务犯罪中，有些法官利用职务便利，采取侵吞、窃取、骗取等手段非法占有执行款，有的挪用执行款，有的法院以单位名义集体截留、使用、私分执行款，以上行为给申请执行人造成重大经济损失，玷污人民法院形象，同时使国家利益蒙受重大损失。为杜绝此类行为发生，除对违法违纪法官给予纪律处分或追究刑事责任外，还要从源头上堵塞漏洞。因此，本条第四款规定："划拨的存款、汇款以及拍卖和依法处理所得的款项应当上缴国库或者划入财政专户，不得以任何形式截留、私分或者变相处分。"财政专用账户简称"财政专户"，是指财政部门在银行设立的预算外资金专门账户，用于对预算外资金收支、统一核算和集中管理。

第六章 法律责任

第六十一条 行政机关实施行政强制,有下列情形之一的,由上级行政机关或者有关部门责令改正,对直接负责的主管人员和其他直接责任人员依法给予处分:

(一)没有法律、法规依据的;

(二)改变行政强制对象、条件、方式的;

(三)违反法定程序实施行政强制的;

(四)违反本法规定,在夜间或者法定节假日实施行政强制执行的;

(五)对居民生活采取停止供水、供电、供热、供燃气等方式迫使当事人履行相关行政决定的;

(六)有其他违法实施行政强制情形的。

【释义】 本条是关于行政机关实施行政强制没有法律、法规依据,或者违反法律、法规的实体和程序规定所应承担的法律责任的规定。

1. 没有法律、法规依据的。行政强制涉及对公民人身权的限制,以及公民、法人和其他组织财产权的处置,必须依法实施。行政强制法第四条规定,行政强制的设定和实施,应当依照法定的权限、范围、条件和程序,体现了行政强制的法定原则。根据行政强制法的规定，只有法律、行政法规和地方性法规有权设定相应的行政强制措施，法律、法规以外的其他规范性文件不得设定行政强制措施。行政强制执行只能由法律设定。根据上述规定，实施行政强制措施和行政强制执行必须有法律、法规的依据，否则即为违法实施行政强制，应当承担相应的法律责任。

2. 改变行政强制对象、条件、方式的。法律、法规设定行政强制措施，要明确其适用的对象、条件和种类。例如税收征收管理法第三十七条规定，对未按照规定办理税务登记的从事生产、经营的纳税人以及临时从事经营的纳税人，由税务机关核定其应纳税额，责令缴纳；不缴纳的，税务机关可以扣押其价值相当于应纳税款的商品、货物。这是一项关于行政强制措施的规定，其中包括：(1)该项措施适用的对象：未按照规定办理税务登记的从事生产、经营的纳税人以及临时从事经营的纳税人。(2)该项措施的适用条件：在税务机关核定其应纳税额，并责令缴纳后仍不缴纳的。(3)该项措施的种类：扣押价值相当于应纳税款的商品、货物。如果行政机关在实施该项行政强制措施时，改变了上述法律关于适用对象、条件和种类的规定，如对非从事生产经营的纳税人实施强制措施，或者对经责令缴纳后已经缴纳了税款的当事人实施强制措施，或者在扣押的强制措施外，对当事人增加实施冻结银行存款的强制措施等，都属于改变行政强制措施的对象、条件、方式的违法行为，应承担相应的法律责任。

同样，法律、法规在设定行政强制执行时，也会明确其具体的执行方式。如道路交通安全法第一百零九条规定:“当事人逾期不履行行政处罚决定的,作出行政处罚决定的行政机关可以采取下列措施:(一)到期不缴纳罚款的,每日按罚款数额的百分之三加处罚款;(二)申请人民法院强制执行。”根据这一规定,行政机关除了申请人民法院强制执行外,自己有权实施的强制执行方式只能是加处罚款,不得在此之外再增加实施划拨存款、拍卖财物等强制执行方式,否则就属于改变行政强制执行方式的违法行为,应当承担相应的法律责任。

3. 违反法定程序实施行政强制的。行政强制法明确规定,实施行政强制,应当依照法定的程序。程序守法是现代法治的一项重要原则,合法的行政行为必须是在实体和程序两方面都合法,如果程序违法,即使实体结果是对的,该行政行为仍然是违法的。行政强制法第三章明确规定了行政强制措施的实施程序,包括实施行政强制措施前须向行政机关负责人报告并经批准;由两名以上行政执法人员实施;出示执法身份证件;有当事人在场;当场告知当事人采取行政强制措施的理由、依据以及当事人依法享有的权利、救济途径;听取当事人的陈述和申辩;制作现场笔录;现场笔录由当事人和行政执法人员签名或者盖章;当事人拒绝签名或者盖章的,在笔录中予以注明;当事人不在场的,邀请见证人到场,由见证人和行政执法人员在现场笔录上签名或者盖章等。如果行政机关在实施行政强制措施时违反了这些法定程序,则属于违法行政强制行为,应当承担相应的法律责任。同样,行政强制法第四章也明确规定了行政强制执行的程序,包括行政机关作出强制执行决定前应当以书面形式事先催告当事人履行义务，并且要听取当事人的陈述和申辩等。如果行政机关在实施行政强制执行时违反了上述的法定程序，即属于违法行政强制行为，应当承担相应的法律责任。

4. 违反本法规定，在夜间或者法定节假日实施强制执行的。行政强制法规定，行政机关不得在夜间或者法定节假日实施行政强制执行。但是，情况紧急的除外。这一规定体现了以人为本的执法理念。对于依法需要实施行政强制执行的，如果不是在情况紧急或者当事人同意的情况下，行政机关都不得在夜间或者法定节假日实施，因为此时实施不仅对当事人来说不够人性化，同时也会影响周围群众的休息，造成执法扰民，不利于社会主义和谐社会的构建。因此，行政强制法确定了这一不得在夜间或者法定节假日实施强制执行的原则。这里的“夜间”，按照环境噪声污染防治法的规定，是指晚二十二点至晨六点之间的期间。“法定节假日”是指双休日和元旦、春节、清明节、国际劳动节、端午节、中秋节、国庆节这些法定节假日。

5. 对居民生活采取停止供水、供电、供热、供燃气等方式迫使当事人履行行政决定的。近年来，一些行政机关在房屋拆迁等执法活动中，出现了采取停止供水、供电、供热、供燃气等方式迫使当事人履行行政决定的情况，对此社会各方面反映强烈，认为这一做法属于野蛮执法，与构建社会主义和谐社会的目标背道而驰。为此，行政强制法对此种违法行为予以明确禁止，对行政机关违反这一规定的，要依法追究相应的法律责任。

6. 有其他违法实施行政强制情形的。这是一项兜底的规定，对于上述前五项情形之外的行为，只要是依照本法的规定，属于违法实施行政强制的，如对没有违法行为的当事人实施强制的，也要依据本条的规定追究法律责任。

对上述六种违法行政强制行为，本条规定了相应的法律责任：由上级行政机关或者有关部门责令改正，对直接负责的主管人员和其他直接责任人员依法给予处分。此外，如果因违法行为给当事人造成损失的，还要依据国家赔偿法的规定承担赔偿责任。

关于"处分"的法律责任，这里规定的执法主体包括两方面：一是上级行政机关；二是有关部门，具体是指各级监察部门。根据行政监察法的规定，监察机关对违反行政纪律的公务员有权作出给予处分的监察决定，由人民政府人事部门或者有关部门按照人事管理权限执行。本条规定的法律责任是行政处分。行政处分是行政机关内部，上级对有隶属关系的下级，或者监察机关对国家行政机关的公务员违反行政纪律的行为所给予的制裁。2005 年 4 月全国人大常委会通过的公务员法，对行政处分的适用情节、种类及程序作出了明确的规定，是对公务员实施行政处分的主要法律依据。此外，行政监察法对行政处分也作了一些规定。

第六十二条　违反本法规定，行政机关有下列情形之一的，由上级行政机关或者有关部门责令改正，对直接负责的主

管人员和其他直接责任人员依法给予处分：

（一）扩大查封、扣押、冻结范围的；

（二）使用或者损毁查封、扣押场所、设施或者财物的；

（三）在查封、扣押法定期间不作出处理决定或者未依法及时解除查封、扣押的；

（四）在冻结存款、汇款法定期间不作出处理决定或者未依法及时解除冻结的。

【释义】 本条是关于行政机关实施查封、扣押、冻结的强制措施违反法律规定所应承担的法律责任的规定。

1. 扩大查封、扣押、冻结范围的。行政强制法明确规定，查封、扣押限于涉案的场所、设施或者财物，不得查封、扣押与违法行为无关的场所、设施或者财物；不得查封、扣押公民个人及其所扶养家属的生活必需品。冻结存款、汇款的数额应当与违法行为涉及的金额相当。根据上述法律规定，行政机关实施查封、扣押、冻结的强制措施时，必须遵守适当的原则，不得扩大范围，将与违法行为无关的场所、设施或者财物，以及公民个人和他所扶养家属的生活必需品纳入查封、扣押的范围，或者冻结超过违法行为涉及的金额的钱款，侵犯公民、法人和其他组织的财产权益。例如，某公司应当缴纳税款 10 万元，税务机关在规定的纳税限期内发现该公司有明显的转移、隐匿其应纳税的商品、货物以及其他财产或者应纳税的收入的迹象，且不能提供纳税担保，经县以上税务局局长批准，税务机关可以通知该公司的开户银行冻结该公司金额相当于应纳税款的存款，即 10 万元。如果税务机关通知冻结的存款金额超过 10 万元,则属于扩大冻结范围的违法行为,应承担相应的法律责任。再如,某餐饮连锁企业中的一家门店涉嫌经营不符合食品安全标准的食品,在这种情况下,食品安全监管部门只能对涉案的这一家门店进行查封,而不能查封与案件无关的其他连锁经营门店,否则就侵犯了该法人的合法财产权益。

2. 使用或者损毁查封、扣押场所、设施或者财物的。行政强制法明确规定,对查封、扣押的场所、设施或者财物,行政机关应当妥善保管,不得使用或者损毁。对于违反这一规定,使用或者损毁查封、扣押的场所、设施或者财物的,要依法承担相应的法律责任。

3. 在查封、扣押法定期间不作出处理决定或者未依法及时解除查封、扣押的。根据行政强制法的规定,行政机关在采取查封、扣押措施后,应当及时查清事实,在法定期间作出处理决定。这里的“法定期间”是指一般情况下不得超过三十日,情况复杂的,经行政机关负责人批准,可以延长,但延长期限最多不超过三十日。但是,法律、行政法规另有规定的除外。这里的“处理决定”包括两种情况:一种是经过调查发现违法事实清楚的,对依法应当没收的非法财物予以没收;法律、行政法规规定应当销毁的,予以销毁。另一种情况是,经过调查发现当事人没有违法行为,或者被查封、扣押的场所、设施、财物与违法行为无关的,应当立即撤销查封、扣押的决定,并立即解除查封、退还被扣押财物;其中已将鲜活物品或者其他不易保管的财物拍卖或者变卖的,退还拍卖或者变卖所得。对于违反上述规定,在查封、扣押法定期间不作出处理决定或者未依法及时解除查封、扣押的,要依法承担相应的法律责任。

4. 在冻结存款、汇款法定期间不作出处理决定或者未依法及时解除冻结的。行政强制法明确规定,自冻结存款、汇款之日起三十日内,行政机关应当作出处理决定或者解除冻结决定;情况复杂的,经行政机关负责人批准,可以延长,但延长期限最多不超过三十日。但是,法律另有规定的除外。对有当事人没有违法行为,或者冻结的存款、汇款与违法行为无关,或者行政机关对违法行为已经作出处理决定,不再需要冻结,或者冻结期限已经届满等情形的,行政机关应当及时作出解除冻结的决定,并及时通知金融机构和当事人。对于行政机关违反上述规定的,要依法承担相应的法律责任。这里应当指出的是,根据行政强制法的规定,如果行政机关逾期未作出处理决定或者解除冻结决定的,金融机构应当自冻结期满之日起主动解除冻结,这也是金融机构应当履行的一项法定义务。

对于上述四种违法行为,本条规定的法律责任是:由上级行政机关或者有关部门责令改正,对直接负责的主管人员和其他直接责任人员依法给予处分,即行政处分。

行政处分和行政处罚虽然同属行政责任的一种,但二者是不同的:第一,适用对象不同,行政处分只适用于国家公职人员,不适用于社会上一般的公民;而行政处罚则适用于所有的公民、法人或其他组织。第二,适用的违法行为不同,行政处分与行政处罚都适用于行政违法行为，但行政处分适用的是一般的违法失职行为，而行政处罚则适用于违反某种特定的，设定有行政处罚的法律、法规、规章的违法行为。第三，实施处罚的机关不同。实施行政处分的机关必须是被处分人员所在单位或者行政监察机关，实施行政处罚的机关是国家法律规定的具有行政处罚权的行政机关，法律、法规授权的具有管理公共事务职能的组织和行政机关依照法律、法规、规章的规定，在其法定权限内委托的组织。第四，执行不同。行政处分只能由国家机关和依法履行管理职能的事业单位执行；而行政处罚则由行政机关执行，也可由行政机关申请人民法院强制执行。第五，救济的渠道不同。行政处罚的救济渠道为行政复议和行政诉讼，当事人对行政处罚不服的，可以向该行政机关的上级行政机关申请行政复议，也可以向人民法院就行政机关的行政处罚行为提起行政诉讼。行政处分的救济渠道为复核和申诉：当事人对行政处分不服的，可以自知道该处理决定之日起三十日向原处理机关申请复核；对复核结果不服的，可以自接到复核决定之日起十五日内，按照规定向同级公务员主管部门或者作出处理的机关的上一级机关提出申诉；也可以不经复核，自知道处理决定之日起三十日内直接提出申诉。对省级以下机关作出的申诉处理决定不服的，可以向作出处理决定的上一级机关提出申诉。行政机关公务员对处分不服向行政监察机关申诉的，监察机关经审查认为原行政处分决定是错误的，应当及时予以纠正；造成名誉损害的，应当负责恢复名誉、消除影响、赔礼道歉；造成经济损失的，应当负赔偿责任。

此外，如果因违法行为给当事人造成损失的，还要依据国家赔偿法的规定承担赔偿责任。

第六十三条　行政机关将查封、扣押的财物或者划拨的存款、汇款以及拍卖和依法处理所得的款项，截留、私分或者变相私分的，由财政部门或者有关部门予以追缴；对直接负责的主管人员和其他直接责任人员依法给予记大过、降级、撤职或者开除的处分。

行政机关工作人员利用职务上的便利，将查封、扣押的场所、设施或者财物据为己有的，由上级行政机关或者有关部门责令改正，依法给予记大过、降级、撤职或者开除的处分。

【释义】　本条是关于行政机关将查封、扣押的财物、划拨的存款、汇款和拍卖、依法处理所得款项截留、私分或者变相私分，以及将查封、扣押的场所、设施或者财物据为己有所应承担的法律责任的规定。

1. 行政机关将查封、扣押的财物或者划拨的存款、汇款以及拍卖和依法处理所得的款项截留、私分或者变相私分。根据行政强制法的规定，行政机关对查封、扣押的财物应当妥善保管，不得使用或者损毁。同时，划拨的存款、汇款及拍卖、依法处理所得的款项应当上缴国库或者划入财政专户。任何行政机关、个人不得以任何形式截留、私分或者变相私分。对于行政机关违反上述规定，将查封、扣押的财物、划拨的存款、汇款及拍卖、依法处理所得款项截留、私分或者变相私分的，要依法追究相应的法律责任。

2. 行政机关工作人员利用职务上的便利，将查封、扣押的场所、设施或者财物据为己有的。行政机关工作人员利用职务上的便利，将查封、扣押的场所、设施或者财物据为己有，属于滥用职权的非法侵占行为，应当依法承担相应的法律责任。

根据本条的规定，行政机关将查封、扣押的财物、划拨的存款、汇款及拍卖、依法处理所得款项截留、私分或者变相私分的，由财政部门或者有关部门予以追缴，对直接负责的主管人员和其他直接责任人员依法给予记大过、降级、撤职或者开除的处分。行政机关工作人员利用职务上的便利，将查封、扣押的场所、设施或者财物据为己有的，由上级行政机关或者有关部门责令改正，依法给予记大过、降级、撤职或者开除的处分。这里的"有关部门"包括审计部门、监察部门及违法的行政机关的上级主管部门。本条规定的违法行为中，行政机关截留、私分或者变相私分应当上缴国库或者划入财政专户的钱款的，应按《财政违法行为处罚处分条例》的规定予以处罚、处分。国务院于2004年11月通过了《财政违法行为处罚处分条例》（于2011年1月作了修改），规定县级以上人民政府财政部门及审计机关在各自职权范围内，依法对财政违法行为作出处理、处罚决定。有财政违法行为的单位，其直接负责的主管人员和其他直接责任人员，以及有财政违法行为的个人，属于国家公务员的，由监察机关及其派出机构或者任免机关依照人事管理权限，依法给予行政处分。根据上述规定，对于财政违法行为实施处罚、处分的机关为财政部门、审计机关和监察机关，其中监察机关负责对有财政违法行为的公务员进行行政处分。考虑到本条规定的违法行为性质比较严重，本条直接规定了给予记大过、降级、撤职或者开除这四种比较重的行政处分。

记大过，适用于公务员的行为违反了法律法规的规定，给国家和人民造成了一定的损失，给予警告处分过轻，给予降级处分过重的情况。

降级，是降低公务员的职务级别，如由局级，降为处级；由处级降为科级等，同时，对公务员工资中的级别工资也要予以相应地降低。

撤职。公务员的行政违法行为，给国家和人民利益造成重大损失，不适合继续担任原职务的，可以给予撤职处分。受撤职处分的，同时降低级别和职务工资。受撤职处分期间，不得晋升工资和级别，也不能晋升工资档次。

开除，是指受处分人不适合继续在国家机关工作，国家机关取消其公务员资格令其离开的处分形式。开除是最严厉的一种处分，适用于公务员犯有违法行为，给国家和人民造成了极其严重的损失，丧失了公务员的资格的情况。开除的行政处分不能解除。

第六十四条　行政机关及其工作人员利用行政强制权为单位或者个人谋取利益的，由上级行政机关或者有关部门责令改正，对直接负责的主管人员和其他直接责任人员依法给

予处分。

【释义】 本条是关于行政机关及其工作人员利用行政强制权为单位或者个人谋取利益所应承担的法律责任的规定。

行政强制法第七条明确规定，行政机关及其工作人员不得利用行政强制权为单位或者个人谋取利益。这一规定旨在防止行政机关及其工作人员在执法过程中滥用行政强制手段谋取私利，侵害公民、法人和其他组织的合法权益。

本条规定的违法行为，其实施主体，除了本条规定的行政机关外，根据本法附则的规定，还包括法律、行政法规授权的具有管理公共事务职能的组织，如证券监管机构、保险监管机构、银行业监管机构等，这些机构从性质上说属于事业单位，不是行政机关，但是证券法、保险法、银行业监督管理法、商业银行法等法律赋予了这些机构对证券业、保险业、银行业的管理职能，并有权实施限制证券买卖、限制业务活动、托管、接收、机构重组等行政强制措施。这些机构及其工作人员在实施这些强制措施时为单位或者个人谋利的，要依法承担法律责任。

本条规定的法律责任是行政处分。行政机关或者法律、行政法规授权的具有管理公共事务职能的组织及其工作人员利用行政强制权为单位或者个人谋取利益的，由上级行政机关或者有关部门责令改正，对直接负责的主管人员和其他直接责任人员依法给予处分。根据公务员法的规定，公务员受开除以外的行政处分，在受处分期间有悔改表现，并且没有再发生违纪行为的，处分期满后由原处分决定机关解除行政处分。但是，解除降级、撤职处分不视为恢复原级别、原职务。解除行政处分后，晋升职务、级别和工资档次不再受行政处分的影响。行政处分决定和解除行政处分的决定应当以书面形式通知本人。

应当指出的是，行政机关或者法律、行政法规授权的具有管理公共事务职能的组织及其工作人员利用行政强制权为单位或者个人谋取利益，给当事人造成损失的，应当给予国家赔偿。如行政机关为给某一企业谋取商业竞争上的利益，滥用行政强制权对与之有竞争关系的另一企业非法实施行政强制措施，从而给该企业造成损失的，应当进行赔偿。

第六十五条　违反本法规定，金融机构有下列行为之一的，由金融业监督管理机构责令改正，对直接负责的主管人员和其他直接责任人员依法给予处分：

（一）在冻结前向当事人泄露信息的；

（二）对应当立即冻结、划拨的存款、汇款不冻结或者不划拨，致使存款、汇款转移的；

（三）将不应当冻结、划拨的存款、汇款予以冻结或者划拨的；

（四）未及时解除冻结存款、汇款的。

【释义】　本条是关于金融机构违反冻结、划拨的规定所应承担的法律责任。

1. 在冻结前向当事人泄露信息的。行政强制法明确规定，行政机关依照法律规定决定实施冻结存款、汇款的，应当履行法律规定的程序，并向金融机构交付冻结通知书。金融机构接到行政机关依法作出的冻结通知书后，应当立即予以冻结，不得拖延、不得在冻结前向当事人泄露信息。这就明确了金融机构具有配合行政机关实施冻结存款、汇款这一强制措施的法定义务。这里的“金融机构”是指商业银行和开办存款、贷款及结算业务的邮政企业、城市信用合作社、农村信用合作社等机构。如果金融机构没有依法履行这一法定义务，在冻结前向当事人泄露相关信息的，应当依法承担法律责任。

2. 对应当立即冻结、划拨的存款、汇款不冻结或者不划拨，致使存款、汇款转移的。按照行政强制法的要求，金融机构接到行政机关依法作出的冻结存款、汇款通知书后，应当立即予以冻结，不得拖延。行政机关作出的划拨存款、汇款的决定应当书面通知金融机构。金融机构应当在接到行政机关依法作出的划拨存款、汇款的决定后应当立即予以划拨。如果金融机构违反这一规定，接到行政机关的通知或者决定后没有立即进行冻结或者划拨存款、汇款的，则要追究其相应的法律责任。此外，对于依照法律规定没有划拨这一直接强制执行权的行政机关申请人民法院强制执行的，金融机构在接到人民法院发出的协助执行通知后，应当及时予以划拨存款、汇款，否则也要承担相应的法律责任。

3. 将不应当冻结、划拨的存款、汇款予以冻结或者划拨的。行政机关所作出的冻结决定、划拨决定规定了冻结、划拨的当事人存款、汇款的账号和金额,金融机构应当按照决定执行,不得将不应当冻结、划拨的存款、汇款予以冻结或者划拨。将不应当冻结、划拨的存款、汇款予以冻结或者划拨的违法行为主要包括以下三种情况:一是扩大了冻结、划拨的数额。如行政机关决定冻结某公司 5 万元的存款金额,但金融机构却冻结了该公司 8 万元的存款,这其中多冻结的 3 万元存款就属于不应当冻结的存款。二是没有行政机关的决定,擅自冻结、划拨当事人的存款或者汇款。三是对法律规定以外的行政机关或者组织要求冻结、划拨当事人存款或者汇款的,金融机构没有予以拒绝而实施了冻结、划拨行为。冻结、划拨当事人的存款、汇款是一项重要的行政强制权,应当由法律规定的行政机关实施,不得委托给其他行政机关或者组织;其他任何行政机关或者组织不得冻结存款、汇款,这是行政强制法确定的原则。对于法律规定以外的行政机关或者组织要求冻结、划拨当事人存款或者汇款的,金融机构应当予以依法拒绝,否则要承担相应的法律责任。

4. 未及时解除冻结存款、汇款的。行政强制法规定,行政机关作出解除冻结决定的,应当及时通知金融机构和当事人。金融机构接到通知后,应当立即解除冻结。此外,当行政机关在法定的期限内未作出处理决定或者解除冻结的决定时,金融机构应当自冻结期满之日起解除冻结。根据上述规定,金融机构未及时解除冻结存款、汇款的违法行为包括两种情况:一是接到行政机关解除冻结的决定后没有执行;二是行政机关在法定的期限内未作出处理决定或者解除冻结决定的情况下，没有履行自冻结期满之日起解除冻结的法定义务。对于这两种情况，都要追究金融机构的法律责任。

对于金融机构在冻结前向当事人泄露信息，或者对应当立即冻结、划拨的存款、汇款不冻结、划拨，致使存款、汇款转移，将不应当冻结、划拨的存款、汇款予以冻结或者划拨，以及未及时解除冻结存款、汇款的行为，本条规定的法律责任是：由金融业监督管理机构责令改正，对直接负责的主管人员和其他直接责任人员给予处分。这里的“金融业监督管理机构”是指中国银行业监督管理委员会等金融业监管机构。关于处分的法律责任，这里应当指出一点：本条规定的“处分”不是行政处分，而是一种纪律处分。由于金融机构不是国家机关，其工作人员不是公务员，所以对其处分属于纪律处分，包括内部工作纪律处分和党内纪律处分。如果违反本条规定的金融机构的直接负责的主管人员和其他直接责任人员是中共党员的，除了要给予内部工作纪律处分外，还要依据《中国共产党纪律处分条例》的规定，由党组织给予党内纪律处分，处分种类包括警告、严重警告、撤销党内职务、留党察看、开除党籍五种。

对于依照法律规定没有划拨这一直接强制权的行政机关，需要依法申请法院执行金钱给付义务的决定。法院在裁定执行后，对金融机构违反本法的有关规定妨碍法院执行的行为，应当依据民事诉讼法的规定，对其实施司法上的强制措施。根据民事诉讼法第一百零三条的规定，银行、信用合作社和其他有储蓄业务的单位接到人民法院协助执行通知书后，拒不协助查询、冻结或者划拨存款的,人民法院除责令其履行协助义务外,可以予以罚款,并可以对其主要负责人或者直接责任人员予以罚款;对仍不履行协助义务的,可以予以拘留;并可以向监察机关或者有关机关提出予以纪律处分的司法建议。对个人的罚款金额,为人民币一万元以下。对单位的罚款金额,为人民币一万元以上三十万元以下。拘留的期限,为十五日以下。被拘留的人,由人民法院交公安机关看管。在拘留期间,被拘留人承认并改正错误的,人民法院可以决定提前解除拘留。人民法院作出罚款、拘留的决定必须经院长批准。对决定不服的,可以向上一级人民法院申请复议一次。复议期间不停止执行。

此外,根据商业银行法第七十三条的规定,商业银行非法冻结、扣划个人储蓄存款或者单位存款的,由国务院银行业监督管理机构责令改正,有违法所得的,没收违法所得,违法所得五万元以上的,并处违法所得一倍以上五倍以下罚款;没有违法所得或者违法所得不足五万元的,处五万元以上五十万元以下罚款。如果金融机构中的商业银行有将不应当冻结、划拨的存款、汇款予以冻结或者划拨的违法行为的,还要依据商业银行法的上述规定予以处罚。

第六十六条　违反本法规定,金融机构将款项划入国库或者财政专户以外的其他账户的,由金融业监督管理机构责令改正,并处以违法划拨款项二倍的罚款;对直接负责的主管人员和其他直接责任人员依法给予处分。

违反本法规定,行政机关、人民法院指令金融机构将款项划入国库或者财政专户以外的其他账户的,对直接负责的主管人员和其他直接责任人员依法给予处分。

【释义】 本条是关于执行款项未划入规定账户金融机构、行政机关和人民法院所应承担的法律责任的规定。

依据本法规定,法律规定的行政机关有权作出划拨存款、汇款的决定,并书面通知金融机构;没有法律授权的行政机关,对金钱给付义务案件,不能直接作出划拨存款、汇款的决定,应当向人民法院申请强制执行。金融机构应当在接到行政机关、人民法院划拨存款、汇款的决定后立即将款项上缴国库或者划入财政专户。行政机关向人民法院申请拍卖财物,人民法院裁定执行的,由人民法院委托拍卖机构依照拍卖法的规定进行拍卖。行政机关在行政管理过程中已经采取查封、扣押措施的,可以委托拍卖机构依照拍卖法的规定进行拍卖。本法第四十九条明确规定:“划拨的存款、汇款以及拍卖和依法处理所得的款项应当上缴国库或者划入财政专户。任何行政机关或者个人不得以任何形式截留、私分或者变相私分。”违反这一规定主要有两种情形:

一是金融机构未按规定将款项上缴国库或者划入财政专户。对违反规定的金融机构,由金融业监督管理机构责令改正,并处以违法划拨款项二倍的罚款;对直接负责的主管人员和其他直接责任人员给予处分。责令改正,是指金融业监督管理机构责令金融机构将划入国库或者财政专户以外其他账户的款项划出,按规定上缴国库或者划入财政专户。责令改正的目的是纠正已发生违法行为,使之恢复到合法的状态。根据行政处罚法的规定,责令改正不是一种行政处罚,通常是实施行政处罚的前置条件。罚款是指行政机关强制违反行政法规的单位和个人缴纳一定数额金钱的处罚,是行政处罚中一种常见的形式。本条规定罚款数额为违法划拨款项的二倍,这属于倍率式罚款数额设定方式。除倍率式罚款外,罚款数额的设定方式还包括规定具体罚款数额的固定数值式、规定罚款数额区间的数值数距式、规定罚款数额上限的数值封顶式、规定罚款数额下限的数值保底式等。倍率式罚款一方面在法律条文中不规定固定的罚款数额,避免在具体案件中罚款过高或者过低,造成过罚不当,另一面在具体案件中罚款数额确定,防止行政机关裁量权过大。对未按规定将款项上缴国库或者划入财政专户的金融机构,除罚款外,还要对其直接负责的主管人员和其他直接责任人员给予处分。这里的处分包括行政处分以及纪律处分。

二是行政机关、人民法院指令金融机构将款项划入国库或者财政专户以外的其他账户。对行政机关、人民法院的直接负责的主管人员和其他直接责任人员依法给予处分。这里的依法处分就是按照公务员法给予行政处分。行政处分的种类包括警告、记过、记大过、降级、撤职、开除。在受处分期间不得晋升职务和级别,其中,受记过、记大过、降级、撤职处分的,不得晋升工资档次;受撤职处分的,应当按照规定降低级别。

第六十七条　人民法院及其工作人员在强制执行中有违法行为或者扩大强制执行范围的，对直接负责的主管人员和其他直接责任人员依法给予处分。

【释义】　本条是关于人民法院及其工作人员在强制执行中有违法行为或者扩大强制执行范围的法律责任的规定。

当事人在法定期限内不申请行政复议或者提起行政诉讼，又不履行行政决定的，法律规定没有强制执行权的行政机关可以自期限届满之日起三个月内，依照本法有关规定申请人民法院强制执行。行政机关向人民法院申请强制执行的，应当提供强制执行申请书、行政决定书及作出决定的事实、理由和依据，当事人的意见及行政机关催告情况，申请强制执行标的情况等材料。人民法院对行政机关强制执行的申请进行书面审查，对符合本法规定，且行政决定具备法定执行效力的，作出执行裁定。

在强制执行中，人民法院及其工作人员的违法情形主要包括两类：

1. 在强制执行中的违法行为。人民法院及其工作人员在实施强制执行中违反有关程序、方式、期限等规定的行为，都属于强制执行中的违法行为，如采用暴力、胁迫等非法方式强制执行，在执行中侮辱他人人格尊严，将划拨的存款、汇款等款项截留、私分或者变相私分等。

2. 扩大执行范围。行政机关在申请强制执行时应当提供申请执行标的情况，人民法院应当按照行政机关的提出的申请实施执行。如行政机关向人民法院申请划拨被执行人存款200万，人民法院指令金融机构划拨250万，这就属于扩大执行范围实施执行。

人民法院及其工作人员在强制执行中有违法行为或者扩大强制执行范围的，对直接负责的主管人员和其他直接责任人员依法给予处分。《人民法院工作人员处分条例》规定，“人民法院工作人员因违反法律、法规或者本条例规定，应当承担纪律责任的，依照本条例给予处分。”处分的种类为：警告、记过、记大过、降级、撤职、开除。需要注意的是，人民法院工作人员违纪违法涉嫌犯罪的，应当移送司法机关处理。在人民法院作出处分决定前，已经被依法判处刑罚、罢免、免职或者已经辞去领导职务，依照《人民法院工作人员处分条例》需要给予处分的，应当根据其违纪违法事实给予处分。被依法判处刑罚的，一律给予开除处分。受开除以外处分的，在受处分期间有悔改表现，并且没有再发生违纪违法行为的，处分期满后应当解除处分。解除处分后，晋升工资档次、级别、职务不再受原处分的影响。但是，解除降级、撤职处分的，不视为恢复原级别、原职务。

第六十八条　违反本法规定，给公民、法人或者其他组织造成损失的，依法给予赔偿。

违反本法规定，构成犯罪的，依法追究刑事责任。

【释义】　本条是关于违反本法的赔偿和刑事责任的规定。

一、关于赔偿

本条中的赔偿主要是指行政机关、人民法院、金融机构违反本法规定，给公民、法人或者其他组织造成损失的，应当依法给予赔偿。

1. 行政赔偿。本法第八条第一款规定，公民、法人或者其他组织因行政机关违法实施行政强制受到损害的，有权依法要求赔偿。行政机关违反本法的规定，实施行政强制的行为主要包括以下几类情形：(1)行政机关实施行政强制没有法律、法规依据，改变行政强制对象、条件、方式，违反法定程序实施行政强制，违反本法规定，在夜间或者法定节假日实施行政强制执行，对居民生活采取停止供水、供电、供热、供燃气等方式迫使当事人履行相关行政决定，给公民、法人或者其他组织造成损失的。(2)行政机关在进行查封、扣押、冻结时扩大查封、扣押、冻结范围，使用或者损毁查封、扣押场所、设施或者财物，在查封、扣押法定期间不作出处理决定或者未依法及时解除查封、退还扣押物，在冻结存款、汇款法定期间不作出处理决定或者未依法及时解除冻结，给公民、法人或者其他组织造成损失的。(3)行政机关及其工作人员利用行政强制权为单位或者个人谋取利益的，给公民、法人或者其他组织造成损失的。

2. 司法赔偿。人民法院在强制执行中有违法行为或者扩大强制执行范围，给公民、法人或者其他组织造成损害的，应当依法予以赔偿。

3. 金融机构赔偿。金融机构对应当立即冻结的存款、汇款不冻结，致使存款、汇款转移或者将不应当冻结、划拨的存款、汇款予以冻结或者划拨，以及未及时解除冻结存款、汇款，给公民、法人或者其他组织造成损失的，应当予以赔偿。

除以上几类情形外，其他违反本法规定，给公民、法人或者其他组织造成损失的，也应当依法予以赔偿。

本条所指的赔偿通常是指对公民、法人或者其他组织人身权、财产权造成的直接损失给予赔偿，一般以支付赔偿金为主要方式，能够返还财产或者恢复原状的，予以返还财产或者恢复原状。对公民造成精神损害的，应当在侵权行为影响的范围内，为受害人消除影响，恢复名誉，赔礼道歉；造成严重后果的，应当依法支付相应的精神损害抚慰金。

本条对违反本法规定应当依法予以的赔偿进行了统一规定，主要是出于立法技术的考虑。这样规定条文比较简捷、内容较为完整，既避免了每条法律责任都出现关于赔偿的规定，过于繁琐，也避免了因缺少关于赔偿的规定，给当事人造成损失后索赔无据的情况。

二、关于刑事责任

根据违法行为所违反的法律的性质，可以把法律责任分为民事责任、刑事责任、行政责任与违宪责任。刑事法律责任是指刑事法律规定的，因实施犯罪行为而产生的，由司法机关强制犯罪者承受的刑事惩罚或者单纯否定性法律评价的负担。违反刑事法律的行为，且具备犯罪的构成要件的，应当依法追究其刑事法律责任。本法第六十一条至第六十七条规定了违反本法规定应当承担的行政责任。刑事责任与行政责任不同，主要体现在：一是违法行为不同，追究行政责任的是违反行政法规的一般违法行为，追究刑事责任的是违反刑事法律的犯罪行为；二是追究责任的机关不同，追究行政责任由国家特定的行政机关依照有关法律的规定决定，追究刑事责任只能由司法机关依照刑法的规定决定；三是承担法律责任的后果不同，追究刑事责任是最严厉的制裁，可以判处死刑，比追究行政责任严厉得多。

本条对违反本法构成犯罪的刑事责任进行了统一规定，而不是一一列举所违反的刑法条文和罪名内容。违反本法的行为，只要依刑法规定构成犯罪的，即依法追究刑事责任。这样处理主要是出于立法技术的考虑：一是条文比较简捷；二是内容完整，避免因为专门规定几类犯罪行为而漏掉其他犯罪行为；三是既与刑法相衔接，又可以避免因刑法的修改而导致本法修改。这种处理模式也是当前立法中的通常作法。

违反本法的规定，构成犯罪，应当依法追究其刑事责任的行为，主要包括以下几种：

1. 侵吞、窃取、骗取或者以其他手段非法占有查封、扣押的场所、设施或者财物行为。刑法第三百八十二条规定，国家工作人员利用职务上的便利，侵吞、窃取、骗取或者以其他手段非法占有公共财物的，是贪污罪。行政机关工作人员利用职务上的便利，将查封、扣押的场所、设施或者财物据为己有，构成犯罪的，应当按照刑法第三百八十三条的规定依法追究刑事责任。第三百八十三条规定，对犯贪污罪的，根据情节轻重，分别依照下列规定处罚：(1)个人贪污数额在十万元以上的，处十年以上有期徒刑或者无期徒刑，可以并处没收财产；情节特别严重的，处死刑，并处没收财产。(2)个人贪污数额在五万元以上不满十万元的,处五年以上有期徒刑,可以并处没收财产;情节特别严重的,处无期徒刑,并处没收财产。(3)个人贪污数额在五千元以上不满五万元的,处一年以上七年以下有期徒刑;情节严重的,处七年以上十年以下有期徒刑。个人贪污数额在五千元以上不满一万元,犯罪后有悔改表现、积极退赃的,可以减轻处罚或者免予刑事处罚,由其所在单位或者上级主管机关给予行政处分。(4)个人贪污数额不满五千元,情节较重的,处二年以下有期徒刑或者拘役;情节较轻的,由其所在单位或者上级主管机关酌情给予行政处分。对多次贪污未经处理的,按照累计贪污数额处罚。"情节较轻",一般是指贪污的数额很小,系初犯,或者在案发前退赃,有悔改表现,社会危害性不大,不需要判处刑罚的。对于情节较轻的,依照本法第六十三条的规定,由上级行政机关或者有关部门责令改正,依法给予处分。

2. 利用行政强制权索取他人财物的,或者非法收受他人财物,为他人谋取利益的行为。刑法第三百八十五条规定,国家工作人员利用职务上的便利,索取他人财物的,或者非法收受他人财物,为他人谋取利益的,是受贿罪。行政机关、人民法院以及金融机构工作人员利用行政强制权,索取他人财物,或者非法接受他人财物,为他人谋取利益,构成受贿罪的,根据受贿所得数额及情节,依照刑法第三百八十三条关于贪污罪量刑的规定进行处罚。索贿的从重处罚。

3. 滥用职权、玩忽职守、徇私舞弊的行为。刑法第三百九十七条是对国家机关工作人员滥用职权罪、玩忽职守罪及其处罚的规定。根据该条的规定,国家机关工作人员在行政强制过程中不履行法定职责或者违法行使职权,致使公共财产、国家和人民利益遭受重大损失的,处三年以下有期徒刑或者拘役;情节特别严重的,处三年以上七年以下有期徒刑。本法另有规定的,依照规定。国家机关工作人员徇私舞弊,犯前款罪的,处五年以下有期徒刑或者拘役;情节特别严重的,处五年以上十年以下有期徒刑。本法另有规定的,依照规定。

除以上几种犯罪行为外,其他违反本法规定的行为,构成犯罪的,也应当依法追究刑事责任。

第七章 附 则

第六十九条 本法中十日以内期限的规定是指工作日，不含法定节假日。

【释义】 本条是关于期限是否含法定节假日的规定。

一、关于工作日和法定节假日

工作日，通俗地说就是需要工作、上班的日子。1995 年 3 月 25 日，国务院《关于职工工作时间的规定》规定自 1995 年 5 月 1 日起施行职工每周工作 5 天、40 小时工作周制度。2008 年 1 月 3 日，原劳动和社会保障部发布《关于职工全年月平均工作时间和工资折算问题的通知》规定，年工作日为 250 天。

法定节假日是指根据国家、民族的风俗习惯或纪念要求，由国家法律统一规定的用以进行庆祝及度假的休息时间。根据国务院《关于修改〈全国年节及纪念日放假办法〉的决定》的规定，我国全国年节及纪念日的假期包括三类。第一类是全体公民放假的节日，包括：（一）新年，放假 1 天（1 月 1 日）；（二）春节，放假 3 天（农历除夕、正月初一、初二）；（三）清明节，放假 1 天（农历清明当日）；（四）劳动节，放假 1 天（5 月 1 日）；（五）端午节，放假 1 天（农历端午当日）；（六）中秋节，放假 1 天（农历中秋当日）；（七）国庆节，放假 3 天（10 月 1 日、2

日、3日)。第二类是部分公民放假的节日及纪念日,包括:(一)妇女节(3月8日),妇女放假半天;(二)青年节(5月4日),14周岁以上的青年放假半天;(三)儿童节(6月1日),不满14周岁的少年儿童放假1天;(四)中国人民解放军建军纪念日(8月1日),现役军人放假半天。第三类是少数民族习惯的节日,由各少数民族聚居地区的地方人民政府,按照各该民族习惯,规定放假日期。全体公民放假的假日,如果适逢星期六、星期日,应当在工作日补假。部分公民放假的假日,如果适逢星期六、星期日,则不补假。

本条中的法定节假日,主要包括全体公民放假的节日以及正常情况下每周的周六、周日。在少数民族地区,地方人民政府确定的少数民族习惯节日也属于本条所指的法定节假日。

二、关于期限的计算

在行政强制中,行政机关、人民法院、金融机构以及当事人的行为应当在一定时间内完成,这就是所谓的期限。法律对期限作出明确规定,一是督促行政机关、人民法院、金融机构等提高效率,及时地作出有关决定、实施行政强制,依法履行职责,切实保护公民、法人和其他组织的合法权益;二是增强人们的法制观念,督促或者强制不履行行政决定的当事人尽快履行其义务,维护正常的社会秩序。

期限的计算是一个重要问题,规定不明确在实践中就会引起争议。民事诉讼法、行政复议法、行政许可法等都在法律条文中对期限中节假日的计算问题作出规定,但根据期限的长短，对期限是否含法定节假日作出明确规定的，本法尚属首次。“十日以内期限的规定是指工作日，不含法定节假日”，本法这样规定主要考虑是：一是，十日以内的期限本身时间就比较短，而且行政强制执行一般不得在夜间或者法定节假日实施，如果十日以内的期限也含法定节假日，在实际执行中就可能存在一定的困难。如本法第三十一规定，“依照法律规定冻结存款、汇款的，作出决定的行政机关应当在三日内向当事人交付冻结决定书”。以9月30日作出冻结决定为例，如果上述规定中的“三日内”期限含法定节假日的话，行政机关工作人员最迟要在10月3日，国庆节假期尚未结束还处于休假期间的时候，就要向当事人交付冻结决定书。这样明显不合适，实际执行起来也会很困难。因此本法规定十日以下，包括十日以内的期限仅指工作日，不含法定节假日。二是，十日以上的期限本身时间较长，含法定节假日在内也不会因时间紧张给行政机关或者当事人的行为带来不便，而且如果不含法定节假日，不仅会给计算期满日期带来诸多不便，同时会造成期限的实际长短差距很大，不利于对当事人权益的保护。如本法第三十二条规定，“自冻结存款、汇款之日起三十日内，行政机关应当作出处理决定或者解除冻结决定”。此处的“三十日”应当理解为自然日，以2012年4月25日作出冻结存款决定为例，最迟作出处理决定或者解除冻结决定的日期为5月24日。

期限的计算，还需要注意以下几个问题：

1. 期限开始的时和日不计算在期限内，从下一个小时或者从次日起算。如本法第五十六条第二款规定，上一级人民法院应当自收到复议申请之日起十五日内作出是否受理的裁定。以人民法院 2012 年 6 月 11 日接到申请为例,那么计算这一期间时,就应当从第二天,即 2012 年 6 月 12 日开始计算,也就是说应当在 2012 年 6 月 26 日前受理。

2. 期限届满的最后一日是法定节假日的,以法定节假日后的第一日为期限届满的日期。如本法第五十八条第二款规定,人民法院应当自受理之日起三十日内作出是否执行的裁定。以人民法院 2012 年 6 月 1 日受理为例, 期限届满之日本应为 7 月 1 日,但因 7 月 1 日是周日,属于法定节假日,因此,应当以法定节假日结束以后的次日即 7 月 2 日,为作出是否执行的裁定的最后期限。

3. 期限不包括在途时间,执法文书在期满前交邮的,不算过期。所谓在途时间,是指行政机关或者人民法院、当事人通过邮寄递交的有关决定、申请的,在途中所用去的时间。确定期满前是否交邮,应当以邮局的邮戳为准,只要邮戳上的时间证明在期间届满前已交付邮局,就不算过期。

4. “十日以内”包括十日。如果本法规定期限为十日,则只包括工作日,不含法定节假日。

第七十条 法律、行政法规授权的具有管理公共事务职能的组织在法定授权范围内,以自己的名义实施行政强制,适用本法有关行政机关的规定。

【释义】 本条是关于法律、行政法规授权的具有管理公共事务职能的组织的规定。

行政强制权是行政权的重要组成部分，原则上来说，只有行政机关可以实施。随着社会的发展，行政管理事项不断增加，行政管理的专业性、技术性日益增强，现有的行政机关在一些领域已经难以满足行政管理的需要。而且在某项专业性较强的领域，授权一些组织来行使行政权可能更为合适，也更具有效率。因此，国家有时通过法律、法规授权行政机关以外的组织来行使一部分行政权。接受授权的组织便取得了行政主体资格，可以以自己的名义行使行政权，独立承担法律责任。因此，本条规定法律、行政法规授权的具有管理公共事务职能的组织在法定授权范围内，以自己的名义实施行政强制，适用本法有关行政机关的规定。

一、必须有法律、行政法规授权

具有管理公共事务职能的组织实施行政强制，必须经法律、行政法规授权，没有法律、行政法规关于某组织实施某项行政强制的具体授权，该组织不能适用本法有关行政机关的规定，不能实施行政强制。而且，只有法律、行政法规可以授权具有管理公共事务职能的组织实施行政强制，除此之外，其他地方法规、行政规章、地方规章等，都不能授权。

二、被授权的组织应当是具有管理公共事务职能的组织

第一，法律、行政法规授权的具有管理公共事务职能的组织是指非国家行政机关的组织。法律、行政法规授权的具有管理公共事务职能的组织，不是行政机关，不具有国家机关的地位，只有在法定授权范围内，以自己的名义实施行政强制时，才是行政主体，具有与行政机关基本相同的法律地位。在

法律、行政法规授权的范围之外，只能享有作为一般组织所具有的权利，承担相应的责任。

第二，被授权的组织必须是具有管理公共事务职能的组织。经过法律、行政法规授权，被授权的组织获得了行政主体的地位，可以以自己的名义实施行政强制，因此，授权对象必须经过严格审查，具备一定的条件。首先，必须是组织而不是个人。其次，被授权的组织不能是立法机关、司法机关、检察机关，也不能是行政机关。再次，必须是具有管理公共事务职能的组织。"具有管理公共事务职能的组织"，这一概念最早出现在行政处罚法中，但法律并没有对其范围作出明确界定。行政处罚法关于具有管理公共事务职能的组织的规定，主要是考虑到当时行政体制正在改革中，原来一些行政机关改革后变成了全国性的行业组织，这些组织虽然不是行政机关，但仍行使着一部分管理公共事务职能。因此，行政处罚法规定法律、法规授权的具有管理公共事务职能的组织可以在法定授权范围内实施行政处罚。本法延续了这一规定。而且在授权上更为严格，只有法律、行政法规可以授权。

三、被授权的组织应当在法定授权范围内实施行政强制

被授权的组织必须在法律、行政法规对其授权范围内，实施行政强制。法律、行政法规在授权具有公共事务管理职能的组织实施行政强制时，一般都有明确的授权范围，如实施行政强制的对象、条件、方式、种类等，被授权的组织只能在授权范围内实施行政强制。超越授权范围实施行政强制，就是越权行为，导致因违法而被撤销的法律后果。

四、以自己的名义实施行政强制

法律、行政法规授权的具有管理公共事务职能的组织必须以自己的名义实施行政强制。法律、行政法规授权的具有管理公共事务职能的组织在法定授权范围内,以自己的名义实施行政强制,对外独立承担法律责任。对因实施行政强制引起的行政争议,能够以自己的名义参加行政复议和行政诉讼。

五、适用本法有关行政机关的规定

由于行政强制主要由行政机关实施,所以本法出于立法技术上简略的考虑,在表述上都是针对行政机关。法律、行政法规授权的具有管理公共事务职能的组织在法定授权范围内,以自己的名义实施行政强制时,应当遵守本法对行政机关的规定。

第七十一条　本法自2012年1月1日起施行。

【释义】 本条是关于法律生效日期的规定。

法律通过以后,就产生了法律的效力问题。法律效力包括时间效力、空间效力和对人的效力三个方面。法律的时间效力又包括法律从何时开始起生效、到何时终止生效和法律生效后有无溯及力三个问题。法律开始生效的时间,指法律从何时起开始发生约束力,法律的施行日期是法律开始生效的标志。立法法第五十一条规定:“法律应当明确规定施行日期。”明确规定施行日期,是法律得到有效实施所必需的。

目前,法律中关于生效日期的规定,主要有以下三种情况:

1. 在法律条文中规定“本法自×年×月×日起施行”，直接规定具体的生效日期。这也是目前使用最多的方式，本法也是采取了这种方式。

2. 法律条文没有直接规定具体的生效日期，而是规定“本法自公布之日起施行”。根据立法法的规定，全国人民代表大会通过的法律、常务委员会通过的法律，由国家主席签署主席令予以公布，签署公布法律的主席令载明该法律的制定机关、通过和施行日期。目前，一般都是于全国人大或者全国人大常委会通过法律的当天由国家主席发布命令公布法律，如1989年10月31日第七届全国人民代表大会常务委员会第六次会议通过的集会游行示威法第三十六条规定：“本法自公布之日起施行。”同日，中华人民共和国主席令第二十号公布施行。采用这种方式，多是由于情势急需，或者公布后不立即施行将有碍施行的情况，在目前的立法实践中这种方式采用不多。

3. 规定一个法律的生效日期取决于另一个法律的制定和实施时间。这种方式在立法实践中非常少见，属于一种特殊情况。1986年12月2日第六届全国人民代表大会常务委员会第十八次会议通过的《中华人民共和国企业破产法（试行）》第四十三条规定：“本法自全民所有制工业企业法实施满3个月之日起施行。”而全民所有制工业企业法在企业破产法（试行）通过时还尚未制定出来，因此，有意见认为采取这种方式规定的施行日期是不确定的，立法应当明确施行日期。

本法2011年6月30日通过，自2012年1月1日起施行。本法公布至施行间隔近半年时间，这主要是为本法的顺利实施做好充分的准备工作：一是涉及行政强制的各种法规、规章、办法、规定等数目众多，需要作出认真的清理，凡发现与本法规定相抵触的，都要予以废止或修改；二是本法规定的一些措施制度，需要一些配套规定进行具体化，有关部门应当抓紧制定有关配套规定；三是本法涉及人民群众生活的各方面，与有关部门应当做好对本法的学习宣传工作等，为本法的实施创造良好的条件。

法律的时间效力问题，还涉及法律对其实施前的行为有无溯及力的问题。法律的溯及力，即溯及既往的效力，是指法律施行后，对生效前的行为是否适用的效力，如果适用，就表明具有溯及力，如果不能适用，也就是所谓的法不溯及既往，表明没有溯及力。我国的法律，一般是没有溯及力的。但这一原则并不是绝对的。各国规定大体有这样几种情况：一是从旧原则，即新法没有溯及力；二是从新原则，即新法有溯及力；三是从轻原则，即比较新法与旧法，哪个处理轻些就按哪个法处理；四是从新兼从轻原则，即新法原则上溯及既往，但旧法对行为人的处罚较轻时，则从旧法；五是从旧兼从轻原则，即新法原则上不溯及既往，但新法对行为人的处罚较轻时，则从新法。目前世界上多数国家采取从旧原则，法律没有溯及力。在法律规定有溯及力的国家，通常采用从旧兼从轻原则。目前，我国主要也采取从旧兼从轻原则，在特殊情况下也可溯及既往。但法律如果有溯及力，就应当在法律条文中对此作出明确的规定。本法没有关于溯及力问题的规定，因此，可以认为本法没有溯及力。

第二部分　附　　录

中华人民共和国行政强制法

（2011 年 6 月 30 日第十一届全国人民代表大会常务委员会第二十一次会议通过）

目　　录

第一章 总 则

第一条 为了规范行政强制的设定和实施，保障和监督行政机关依法履行职责，维护公共利益和社会秩序，保护公民、法人和其他组织的合法权益，根据宪法，制定本法。

第二条 本法所称行政强制，包括行政强制措施和行政强制执行。

行政强制措施，是指行政机关在行政管理过程中，为制止违法行为、防止证据损毁、避免危害发生、控制危险扩大等情形，依法对公民的人身自由实施暂时性限制，或者对公民、法人或者其他组织的财物实施暂时性控制的行为。

行政强制执行，是指行政机关或者行政机关申请人民法院，对不履行行政决定的公民、法人或者其他组织，依法强制履行义务的行为。

第三条 行政强制的设定和实施，适用本法。

发生或者即将发生自然灾害、事故灾难、公共卫生事件或者社会安全事件等突发事件，行政机关采取应急措施或者临时措施，依照有关法律、行政法规的规定执行。

行政机关采取金融业审慎监管措施、进出境货物强制性技术监控措施，依照有关法律、行政法规的规定执行。

第四条 行政强制的设定和实施，应当依照法定的权限、范围、条件和程序。

第五条　行政强制的设定和实施,应当适当。采用非强制手段可以达到行政管理目的的,不得设定和实施行政强制。

第六条　实施行政强制,应当坚持教育与强制相结合。

第七条　行政机关及其工作人员不得利用行政强制权为单位或者个人谋取利益。

第八条　公民、法人或者其他组织对行政机关实施行政强制,享有陈述权、申辩权;有权依法申请行政复议或者提起行政诉讼;因行政机关违法实施行政强制受到损害的,有权依法要求赔偿。

公民、法人或者其他组织因人民法院在强制执行中有违法行为或者扩大强制执行范围受到损害的,有权依法要求赔偿。

第二章　行政强制的种类和设定

第九条　行政强制措施的种类:

(一)限制公民人身自由;

(二)查封场所、设施或者财物;

(三)扣押财物;

(四)冻结存款、汇款;

(五)其他行政强制措施。

第十条　行政强制措施由法律设定。

尚未制定法律,且属于国务院行政管理职权事项的,行政法规可以设定除本法第九条第一项、第四项和应当由法律规定的行政强制措施以外的其他行政强制措施。

尚未制定法律、行政法规,且属于地方性事务的,地方性法规可以设定本法第九条第二项、第三项的行政强制措施。

法律、法规以外的其他规范性文件不得设定行政强制措施。

第十一条 法律对行政强制措施的对象、条件、种类作了规定的，行政法规、地方性法规不得作出扩大规定。

法律中未设定行政强制措施的，行政法规、地方性法规不得设定行政强制措施。但是，法律规定特定事项由行政法规规定具体管理措施的，行政法规可以设定除本法第九条第一项、第四项和应当由法律规定的行政强制措施以外的其他行政强制措施。

第十二条 行政强制执行的方式：

（一）加处罚款或者滞纳金；

（二）划拨存款、汇款；

（三）拍卖或者依法处理查封、扣押的场所、设施或者财物；

（四）排除妨碍、恢复原状；

（五）代履行；

（六）其他强制执行方式。

第十三条 行政强制执行由法律设定。

法律没有规定行政机关强制执行的，作出行政决定的行政机关应当申请人民法院强制执行。

第十四条 起草法律草案、法规草案，拟设定行政强制的，起草单位应当采取听证会、论证会等形式听取意见，并向制定机关说明设定该行政强制的必要性、可能产生的影响以及听取和采纳意见的情况。

第十五条 行政强制的设定机关应当定期对其设定的行政强制进行评价，并对不适当的行政强制及时予以修改或者废止。

行政强制的实施机关可以对已设定的行政强制的实施情况及存在的必要性适时进行评价,并将意见报告该行政强制的设定机关。

公民、法人或者其他组织可以向行政强制的设定机关和实施机关就行政强制的设定和实施提出意见和建议。有关机关应当认真研究论证,并以适当方式予以反馈。

第三章　行政强制措施实施程序

第一节　一般规定

第十六条　行政机关履行行政管理职责,依照法律、法规的规定,实施行政强制措施。

违法行为情节显著轻微或者没有明显社会危害的,可以不采取行政强制措施。

第十七条　行政强制措施由法律、法规规定的行政机关在法定职权范围内实施。行政强制措施权不得委托。

依据《中华人民共和国行政处罚法》的规定行使相对集中行政处罚权的行政机关,可以实施法律、法规规定的与行政处罚权有关的行政强制措施。

行政强制措施应当由行政机关具备资格的行政执法人员实施,其他人员不得实施。

第十八条　行政机关实施行政强制措施应当遵守下列规定:

(一)实施前须向行政机关负责人报告并经批准;

(二)由两名以上行政执法人员实施;

（三）出示执法身份证件；

（四）通知当事人到场；

（五）当场告知当事人采取行政强制措施的理由、依据以及当事人依法享有的权利、救济途径；

（六）听取当事人的陈述和申辩；

（七）制作现场笔录；

（八）现场笔录由当事人和行政执法人员签名或者盖章，当事人拒绝的，在笔录中予以注明；

（九）当事人不到场的，邀请见证人到场，由见证人和行政执法人员在现场笔录上签名或者盖章；

（十）法律、法规规定的其他程序。

第十九条 情况紧急，需要当场实施行政强制措施的，行政执法人员应当在二十四小时内向行政机关负责人报告，并补办批准手续。行政机关负责人认为不应当采取行政强制措施的，应当立即解除。

第二十条 依照法律规定实施限制公民人身自由的行政强制措施，除应当履行本法第十八条规定的程序外，还应当遵守下列规定：

（一）当场告知或者实施行政强制措施后立即通知当事人家属实施行政强制措施的行政机关、地点和期限；

（二）在紧急情况下当场实施行政强制措施的，在返回行政机关后，立即向行政机关负责人报告并补办批准手续；

（三）法律规定的其他程序。

实施限制人身自由的行政强制措施不得超过法定期限。实施行政强制措施的目的已经达到或者条件已经消失，应当立即解除。

第二十一条　违法行为涉嫌犯罪应当移送司法机关的，行政机关应当将查封、扣押、冻结的财物一并移送，并书面告知当事人。

第二节　查封、扣押

第二十二条　查封、扣押应当由法律、法规规定的行政机关实施，其他任何行政机关或者组织不得实施。

第二十三条　查封、扣押限于涉案的场所、设施或者财物，不得查封、扣押与违法行为无关的场所、设施或者财物；不得查封、扣押公民个人及其所扶养家属的生活必需品。

当事人的场所、设施或者财物已被其他国家机关依法查封的，不得重复查封。

第二十四条　行政机关决定实施查封、扣押的，应当履行本法第十八条规定的程序，制作并当场交付查封、扣押决定书和清单。

查封、扣押决定书应当载明下列事项：

（一）当事人的姓名或者名称、地址；

（二）查封、扣押的理由、依据和期限；

（三）查封、扣押场所、设施或者财物的名称、数量等；

（四）申请行政复议或者提起行政诉讼的途径和期限；

（五）行政机关的名称、印章和日期。

查封、扣押清单一式二份，由当事人和行政机关分别保存。

第二十五条　查封、扣押的期限不得超过三十日；情况复杂的，经行政机关负责人批准，可以延长，但是延长期限不得超过三十日。法律、行政法规另有规定的除外。

延长查封、扣押的决定应当及时书面告知当事人,并说明理由。

对物品需要进行检测、检验、检疫或者技术鉴定的,查封、扣押的期间不包括检测、检验、检疫或者技术鉴定的期间。检测、检验、检疫或者技术鉴定的期间应当明确,并书面告知当事人。检测、检验、检疫或者技术鉴定的费用由行政机关承担。

第二十六条 对查封、扣押的场所、设施或者财物,行政机关应当妥善保管,不得使用或者损毁;造成损失的,应当承担赔偿责任。

对查封的场所、设施或者财物,行政机关可以委托第三人保管,第三人不得损毁或者擅自转移、处置。因第三人的原因造成的损失,行政机关先行赔付后,有权向第三人追偿。

因查封、扣押发生的保管费用由行政机关承担。

第二十七条 行政机关采取查封、扣押措施后,应当及时查清事实,在本法第二十五条规定的期限内作出处理决定。对违法事实清楚,依法应当没收的非法财物予以没收;法律、行政法规规定应当销毁的,依法销毁;应当解除查封、扣押的,作出解除查封、扣押的决定。

第二十八条 有下列情形之一的,行政机关应当及时作出解除查封、扣押决定:

(一)当事人没有违法行为;

(二)查封、扣押的场所、设施或者财物与违法行为无关;

(三)行政机关对违法行为已经作出处理决定,不再需要查封、扣押;

（四）查封、扣押期限已经届满；

（五）其他不再需要采取查封、扣押措施的情形。

解除查封、扣押应当立即退还财物；已将鲜活物品或者其他不易保管的财物拍卖或者变卖的，退还拍卖或者变卖所得款项。变卖价格明显低于市场价格，给当事人造成损失的，应当给予补偿。

第三节 冻 结

第二十九条 冻结存款、汇款应当由法律规定的行政机关实施，不得委托给其他行政机关或者组织；其他任何行政机关或者组织不得冻结存款、汇款。

冻结存款、汇款的数额应当与违法行为涉及的金额相当；已被其他国家机关依法冻结的，不得重复冻结。

第三十条 行政机关依照法律规定决定实施冻结存款、汇款的，应当履行本法第十八条第一项、第二项、第三项、第七项规定的程序，并向金融机构交付冻结通知书。

金融机构接到行政机关依法作出的冻结通知书后，应当立即予以冻结，不得拖延，不得在冻结前向当事人泄露信息。

法律规定以外的行政机关或者组织要求冻结当事人存款、汇款的，金融机构应当拒绝。

第三十一条 依照法律规定冻结存款、汇款的，作出决定的行政机关应当在三日内向当事人交付冻结决定书。冻结决定书应当载明下列事项：

（一）当事人的姓名或者名称、地址；

（二）冻结的理由、依据和期限；

（三）冻结的账号和数额；

（四）申请行政复议或者提起行政诉讼的途径和期限；

（五）行政机关的名称、印章和日期。

第三十二条 自冻结存款、汇款之日起三十日内，行政机关应当作出处理决定或者作出解除冻结决定；情况复杂的，经行政机关负责人批准，可以延长，但是延长期限不得超过三十日。法律另有规定的除外。

延长冻结的决定应当及时书面告知当事人，并说明理由。

第三十三条 有下列情形之一的，行政机关应当及时作出解除冻结决定：

（一）当事人没有违法行为；

（二）冻结的存款、汇款与违法行为无关；

（三）行政机关对违法行为已经作出处理决定，不再需要冻结；

（四）冻结期限已经届满；

（五）其他不再需要采取冻结措施的情形。

行政机关作出解除冻结决定的，应当及时通知金融机构和当事人。金融机构接到通知后，应当立即解除冻结。

行政机关逾期未作出处理决定或者解除冻结决定的，金融机构应当自冻结期满之日起解除冻结。

第四章 行政机关强制执行程序

第一节 一般规定

第三十四条 行政机关依法作出行政决定后，当事人在行政机关决定的期限内不履行义务的，具有行政强制执行权的行政机关依照本章规定强制执行。

第三十五条 行政机关作出强制执行决定前，应当事先催告当事人履行义务。催告应当以书面形式作出，并载明下列事项：

（一）履行义务的期限；

（二）履行义务的方式；

（三）涉及金钱给付的，应当有明确的金额和给付方式；

（四）当事人依法享有的陈述权和申辩权。

第三十六条 当事人收到催告书后有权进行陈述和申辩。行政机关应当充分听取当事人的意见，对当事人提出的事实、理由和证据，应当进行记录、复核。当事人提出的事实、理由或者证据成立的，行政机关应当采纳。

第三十七条 经催告，当事人逾期仍不履行行政决定，且无正当理由的，行政机关可以作出强制执行决定。

强制执行决定应当以书面形式作出，并载明下列事项：

（一）当事人的姓名或者名称、地址；

（二）强制执行的理由和依据；

（三）强制执行的方式和时间；

（四）申请行政复议或者提起行政诉讼的途径和期限；

（五）行政机关的名称、印章和日期。

在催告期间，对有证据证明有转移或者隐匿财物迹象的，行政机关可以作出立即强制执行决定。

第三十八条 催告书、行政强制执行决定书应当直接送达当事人。当事人拒绝接收或者无法直接送达当事人的，应当依照《中华人民共和国民事诉讼法》的有关规定送达。

第三十九条 有下列情形之一的，中止执行：

（一）当事人履行行政决定确有困难或者暂无履行能力的；

（二）第三人对执行标的主张权利，确有理由的；

（三）执行可能造成难以弥补的损失，且中止执行不损害公共利益的；

（四）行政机关认为需要中止执行的其他情形。

中止执行的情形消失后，行政机关应当恢复执行。对没有明显社会危害，当事人确无能力履行，中止执行满三年未恢复执行的，行政机关不再执行。

第四十条 有下列情形之一的，终结执行：

（一）公民死亡，无遗产可供执行，又无义务承受人的；

（二）法人或者其他组织终止，无财产可供执行，又无义务承受人的；

（三）执行标的灭失的；

（四）据以执行的行政决定被撤销的；

（五）行政机关认为需要终结执行的其他情形。

第四十一条 在执行中或者执行完毕后，据以执行的行政决定被撤销、变更，或者执行错误的，应当恢复原状或者退还财物；不能恢复原状或者退还财物的，依法给予赔偿。

第四十二条 实施行政强制执行，行政机关可以在不损害公共利益和他人合法权益的情况下，与当事人达成执行协议。执行协议可以约定分阶段履行；当事人采取补救措施的，可以减免加处的罚款或者滞纳金。

执行协议应当履行。当事人不履行执行协议的，行政机关应当恢复强制执行。

第四十三条 行政机关不得在夜间或者法定节假日实施行政强制执行。但是,情况紧急的除外。

行政机关不得对居民生活采取停止供水、供电、供热、供燃气等方式迫使当事人履行相关行政决定。

第四十四条 对违法的建筑物、构筑物、设施等需要强制拆除的,应当由行政机关予以公告,限期当事人自行拆除。当事人在法定期限内不申请行政复议或者提起行政诉讼,又不拆除的,行政机关可以依法强制拆除。

第二节 金钱给付义务的执行

第四十五条 行政机关依法作出金钱给付义务的行政决定,当事人逾期不履行的,行政机关可以依法加处罚款或者滞纳金。加处罚款或者滞纳金的标准应当告知当事人。

加处罚款或者滞纳金的数额不得超出金钱给付义务的数额。

第四十六条 行政机关依照本法第四十五条规定实施加处罚款或者滞纳金超过三十日,经催告当事人仍不履行的,具有行政强制执行权的行政机关可以强制执行。

行政机关实施强制执行前,需要采取查封、扣押、冻结措施的,依照本法第三章规定办理。

没有行政强制执行权的行政机关应当申请人民法院强制执行。但是,当事人在法定期限内不申请行政复议或者提起行政诉讼,经催告仍不履行的,在实施行政管理过程中已经采取查封、扣押措施的行政机关,可以将查封、扣押的财物依法拍卖抵缴罚款。

第四十七条 划拨存款、汇款应当由法律规定的行政机关决定，并书面通知金融机构。金融机构接到行政机关依法作出划拨存款、汇款的决定后，应当立即划拨。

法律规定以外的行政机关或者组织要求划拨当事人存款、汇款的，金融机构应当拒绝。

第四十八条 依法拍卖财物，由行政机关委托拍卖机构依照《中华人民共和国拍卖法》的规定办理。

第四十九条 划拨的存款、汇款以及拍卖和依法处理所得的款项应当上缴国库或者划入财政专户。任何行政机关或者个人不得以任何形式截留、私分或者变相私分。

第三节 代 履 行

第五十条 行政机关依法作出要求当事人履行排除妨碍、恢复原状等义务的行政决定，当事人逾期不履行，经催告仍不履行，其后果已经或者将危害交通安全、造成环境污染或者破坏自然资源的，行政机关可以代履行，或者委托没有利害关系的第三人代履行。

第五十一条 代履行应当遵守下列规定：

（一）代履行前送达决定书，代履行决定书应当载明当事人的姓名或者名称、地址，代履行的理由和依据、方式和时间、标的、费用预算以及代履行人；

（二）代履行三日前，催告当事人履行，当事人履行的，停止代履行；

（三）代履行时，作出决定的行政机关应当派员到场监督；

（四）代履行完毕，行政机关到场监督的工作人员、代履行人和当事人或者见证人应当在执行文书上签名或者盖章。

代履行的费用按照成本合理确定，由当事人承担。但是，法律另有规定的除外。

代履行不得采用暴力、胁迫以及其他非法方式。

第五十二条　需要立即清除道路、河道、航道或者公共场所的遗洒物、障碍物或者污染物，当事人不能清除的，行政机关可以决定立即实施代履行；当事人不在场的，行政机关应当在事后立即通知当事人，并依法作出处理。

第五章　申请人民法院强制执行

第五十三条　当事人在法定期限内不申请行政复议或者提起行政诉讼，又不履行行政决定的，没有行政强制执行权的行政机关可以自期限届满之日起三个月内，依照本章规定申请人民法院强制执行。

第五十四条　行政机关申请人民法院强制执行前，应当催告当事人履行义务。催告书送达十日后当事人仍未履行义务的，行政机关可以向所在地有管辖权的人民法院申请强制执行；执行对象是不动产的，向不动产所在地有管辖权的人民法院申请强制执行。

第五十五条　行政机关向人民法院申请强制执行，应当提供下列材料：

（一）强制执行申请书；

（二）行政决定书及作出决定的事实、理由和依据；

（三）当事人的意见及行政机关催告情况；

（四）申请强制执行标的情况；

（五）法律、行政法规规定的其他材料。

强制执行申请书应当由行政机关负责人签名，加盖行政机关的印章，并注明日期。

第五十六条 人民法院接到行政机关强制执行的申请，应当在五日内受理。

行政机关对人民法院不予受理的裁定有异议的，可以在十五日内向上一级人民法院申请复议，上一级人民法院应当自收到复议申请之日起十五日内作出是否受理的裁定。

第五十七条 人民法院对行政机关强制执行的申请进行书面审查，对符合本法第五十五条规定，且行政决定具备法定执行效力的，除本法第五十八条规定的情形外，人民法院应当自受理之日起七日内作出执行裁定。

第五十八条 人民法院发现有下列情形之一的，在作出裁定前可以听取被执行人和行政机关的意见：

（一）明显缺乏事实根据的；

（二）明显缺乏法律、法规依据的；

（三）其他明显违法并损害被执行人合法权益的。

人民法院应当自受理之日起三十日内作出是否执行的裁定。裁定不予执行的，应当说明理由，并在五日内将不予执行的裁定送达行政机关。

行政机关对人民法院不予执行的裁定有异议的，可以自收到裁定之日起十五日内向上一级人民法院申请复议，上一级人民法院应当自收到复议申请之日起三十日内作出是否执行的裁定。

第五十九条 因情况紧急，为保障公共安全，行政机关可以申请人民法院立即执行。经人民法院院长批准，人民法院应当自作出执行裁定之日起五日内执行。

第六十条　行政机关申请人民法院强制执行，不缴纳申请费。强制执行的费用由被执行人承担。

人民法院以划拨、拍卖方式强制执行的，可以在划拨、拍卖后将强制执行的费用扣除。

依法拍卖财物，由人民法院委托拍卖机构依照《中华人民共和国拍卖法》的规定办理。

划拨的存款、汇款以及拍卖和依法处理所得的款项应当上缴国库或者划入财政专户，不得以任何形式截留、私分或者变相私分。

第六章　法律责任

第六十一条　行政机关实施行政强制，有下列情形之一的，由上级行政机关或者有关部门责令改正，对直接负责的主管人员和其他直接责任人员依法给予处分：

（一）没有法律、法规依据的；

（二）改变行政强制对象、条件、方式的；

（三）违反法定程序实施行政强制的；

（四）违反本法规定，在夜间或者法定节假日实施行政强制执行的；

（五）对居民生活采取停止供水、供电、供热、供燃气等方式迫使当事人履行相关行政决定的；

（六）有其他违法实施行政强制情形的。

第六十二条　违反本法规定，行政机关有下列情形之一的，由上级行政机关或者有关部门责令改正，对直接负责的主管人员和其他直接责任人员依法给予处分：

（一）扩大查封、扣押、冻结范围的；

（二）使用或者损毁查封、扣押场所、设施或者财物的；

（三）在查封、扣押法定期间不作出处理决定或者未依法及时解除查封、扣押的；

（四）在冻结存款、汇款法定期间不作出处理决定或者未依法及时解除冻结的。

第六十三条 行政机关将查封、扣押的财物或者划拨的存款、汇款以及拍卖和依法处理所得的款项，截留、私分或者变相私分的，由财政部门或者有关部门予以追缴；对直接负责的主管人员和其他直接责任人员依法给予记大过、降级、撤职或者开除的处分。

行政机关工作人员利用职务上的便利，将查封、扣押的场所、设施或者财物据为己有的，由上级行政机关或者有关部门责令改正，依法给予记大过、降级、撤职或者开除的处分。

第六十四条 行政机关及其工作人员利用行政强制权为单位或者个人谋取利益的，由上级行政机关或者有关部门责令改正，对直接负责的主管人员和其他直接责任人员依法给予处分。

第六十五条 违反本法规定，金融机构有下列行为之一的，由金融业监督管理机构责令改正，对直接负责的主管人员和其他直接责任人员依法给予处分：

（一）在冻结前向当事人泄露信息的；

（二）对应当立即冻结、划拨的存款、汇款不冻结或者不划拨，致使存款、汇款转移的；

（三）将不应当冻结、划拨的存款、汇款予以冻结或者划拨的；

（四）未及时解除冻结存款、汇款的。

第六十六条　违反本法规定，金融机构将款项划入国库或者财政专户以外的其他账户的，由金融业监督管理机构责令改正，并处以违法划拨款项二倍的罚款；对直接负责的主管人员和其他直接责任人员依法给予处分。

违反本法规定，行政机关、人民法院指令金融机构将款项划入国库或者财政专户以外的其他账户的，对直接负责的主管人员和其他直接责任人员依法给予处分。

第六十七条　人民法院及其工作人员在强制执行中有违法行为或者扩大强制执行范围的，对直接负责的主管人员和其他直接责任人员依法给予处分。

第六十八条　违反本法规定，给公民、法人或者其他组织造成损失的，依法给予赔偿。

违反本法规定，构成犯罪的，依法追究刑事责任。

第七章　附　　则

第六十九条　本法中十日以内期限的规定是指工作日，不含法定节假日。

第七十条　法律、行政法规授权的具有管理公共事务职能的组织在法定授权范围内，以自己的名义实施行政强制，适用本法有关行政机关的规定。

第七十一条　本法自2012年1月1日起施行。

全国人民代表大会常务委员会委员长会议关于提请审议《中华人民共和国行政强制法(草案)》的议案

全国人民代表大会常务委员会:

为了规范行政强制的设定和实施,保障和监督行政机关依法履行职责,维护公共利益和社会秩序,保护公民、法人或者其他组织的合法权益,按照全国人大常委会立法规划的要求,受委员长会议委托,全国人大常委会法制工作委员会经广泛征求各方面的意见,拟订了《中华人民共和国行政强制法(草案)》。这个草案已经全国人大常委会委员长会议讨论同意,现提请全国人大常委会审议。

全国人民代表大会常务委员会委员长会议

2005 年 12 月 16 日

关于《中华人民共和国行政强制法（草案）》的说明

——2005 年 12 月 24 日在第十届全国人民代表大会常务委员会第十九次会议上

全国人大常委会法制工作委员会副主任 信春鹰

委员长、各位副委员长、秘书长、各位委员：

我受委员长会议的委托，作关于《中华人民共和国行政强制法（草案）》的说明。

根据九届全国人大常委会立法规划，法制工作委员会从1999 年 3 月开始行政强制法的起草工作。在多次调研并广泛征求国务院有关部门、地方人大和一些全国人大代表、专家的意见的基础上，形成了行政强制法（草案）。现将草案的几个主要问题说明如下：

一、关于起草本法的指导思想

行政强制制度涉及行政管理的效率，也涉及对公民的人身权和财产权的处分或者限制。因此,依法规范行政强制权,既是依法行政的需要,也是维护公民合法权益的需要。目前,由于没有统一的法律规范,一些行政机关在执法过程中,既存在对某些严重违法行为因缺乏强制手段处理不力的情况,也存在行政强制手段滥用的情况。主要问题是:(1)哪些机关可以设定行政强制措施,不明确;(2)行政强制措施的具体形式繁多,同一行政强制措施有多种表述,缺乏规范;(3)有些没有强制权的行政机关自行实施强制措施,甚至授权、委托其他组织实施行政强制措施;(4)缺乏程序性规定,有些行政机关在采取强制措施时随意性较大,对公民、法人或者其他组织的合法权益造成侵害;(5)行政机关履行行政管理职责时,缺少必要的手段,致使一些严重违法行为得不到有效处理。起草工作总的指导思想是,推进依法行政,维护公民权益,既赋予行政机关必要的强制手段,保障行政机关依法履行职责,维护公共利益和公共秩序,又对行政强制行为进行规范,避免和防止权力的滥用,保护公民、法人和其他组织的合法权益。

二、关于本法的调整范围

本法的调整范围包括行政强制措施和行政强制执行两方面内容。(草案第二条)考虑到有关行政机关对发生自然灾害、事故灾难、公共卫生事件或者社会安全事件等突发事件采取的应急措施或者临时措施;对金融业采取的审慎监管措施;对进出境货物采取的强制性技术监控措施,有其特殊性,需要适用特别规定,因此,草案明确规定,对上述几种措施,依照有关法律、行政法规规定执行。(草案第三条)

三、关于行政强制的原则

行政强制涉及到公民、法人的人身权、财产权，实施行政强制必须遵循一定的原则。草案规定了实施行政强制应当遵循的原则：1. 法定原则。“设定行政强制必须依照本法规定。”“实施行政强制必须有法律、法规依据，依照本法规定的程序实施。未经法律、法规授权，任何机关或者组织不得实施行政强制。”（草案第四条）2. 适当原则。“设定行政强制应当适当，兼顾公共利益和当事人的合法权益。”“实施行政强制应当依照法定条件，正确适用法律、法规，选择适当的行政强制方式，以最小损害当事人的权益为限度。”（草案第五条）3. 不得滥用原则。“行政强制措施不得滥用。实施非强制性管理措施可以达到行政管理目的，不得实施行政强制措施。”（草案第六条）4. 和解原则。“实施行政强制执行，行政机关可以在不损害公共利益和他人利益的情况下，与当事人达成执行和解。”（草案第八条）同时强调，实施行政强制措施应当听取当事人的陈述与申辩；实施行政强制执行，应当事先进行督促催告；实施行政强制必须严格依法进行，文明执法。（草案第七条）

四、关于行政强制的方式

行政强制方式包括行政强制措施方式和行政强制执行方式。现行法律、法规规定的行政强制措施的方式较多。对繁杂多样的强制措施进行分类，有利于对行政强制的规范。草案将行政强制措施的方式分为：对公民人身自由的暂时性限制；对场所、设施或者财物的查封；对财物的扣押；对存款、汇款、有价证券等的冻结；强行进入住宅；法律规定的其他行政强制措施。（草案第十条）将行政强制执行的方式分为：排除妨碍、恢复原状等义务的代履行；加处罚款或者滞纳金的执行罚；划拨存款、汇款、兑现有价证券；将查封、扣押的财物拍卖或者依法处理；法律规定的其他行政强制执行方式。（草案第十一条）

五、关于行政强制的设定权

根据依法行政的要求，应当对行政强制的设定权作出明确的规定。草案规定："行政强制由法律设定。""尚未制定法律，且属于国务院行政管理职权事项的，行政法规可以设定对涉嫌违法的场所、设施和财物的查封或者对涉嫌违法的财物的扣押的行政强制措施，以及除本法第十条第一项、第四项、第五项规定以外的其他行政强制措施。""不制定法律、行政法规，且属于地方性事务的，地方性法规可以设定对涉嫌违法的场所、设施和财物的查封或者涉嫌违法的财物的扣押的行政强制措施。"（草案第十二条）为保证法制统一，草案还规定："法律已经设定行政强制的，行政法规、地方性法规不得对法律规定的行政强制措施的对象、条件以及方式的范围作出扩大规定"。"已经制定了法律，但法律中没有设定行政强制的，行政法规、地方性法规不得增设行政强制。"（草案第十三条）对行政强制执行，草案规定："实施行政强制执行的行政机关由法律规定。""法律没有规定行政机关强制执行的，作出行政决定的行政机关应当申请人民法院强制执行。"（草案第十四条）

六、关于行政强制措施实施程序

行政强制措施的实施具有两大特点，即时性和强制性。即时性特点要求程序简便易行；强制性特点要求对行政强制行为必须有必要的程序控制。草案规定："行政机关履行行政管理职责，在制止违法行为、防止证据损毁、避免危害发生、控制危险扩大的情况下，可以依照法律、法规的规定，实施行政强制措施。"除此情况外，"行政机关不得实施行政强制措施。"（草案第十六条）草案还规定了现场实施强制措施的一般程序（草案第十七条）和对限制公民人身自由以及进入公民住宅的强制措施的严格程序。（草案第十九条）

针对现实生活中反映较为突出的问题，规定行政机关实施检查、调查等监管活动进入生产经营场所、查询企业的财务账簿、交易记录、业务往来等事项，"必须有法律、行政法规的依据；没有法律、行政法规依据的，当事人有权拒绝。"（草案第二十条）"实施扣押财物的行政强制措施，不得进入公民住宅扣押公民个人财产抵缴行政收费；除违禁物品外，在市容监管中行政机关不得扣押经营者经营的商品。"（草案第二十一条第二款）

七、关于行政强制执行制度

我国现行的行政强制执行制度是，法律规定行政机关强制执行的，行政机关可以依法自己强制执行；法律没有规定行政机关强制执行的，作出行政决定的行政机关应当申请人民法院强制执行。行政强制法草案针对目前强制执行中存在的一些问题，对行政机关的强制执行和申请人民法院强制执行分别作出规定。

对依法有强制执行权的行政机关的强制执行，草案规定：行政机关依法作出行政决定后，当事人在行政机关决定的期限内不履行义务的，依照法律规定有强制执行权的行政机关可以依照本法第四章的规定予以强制执行（草案第三十六条）；对没有行政强制执行权的行政机关应当申请人民法院强制执行。但是，在实施行政管理过程中已经采取查封、扣押行政强制措施的行政机关，可以将查封、扣押的财物依法拍卖抵缴罚款。（草案第四十七条第三款）

关于行政机关申请人民法院强制执行程序，草案对申请前的催告、申请要求、法院审查方式、审查期限、执行方式以及收费等均作出具体规定，明确人民法院对行政机关强制执行的申请进行书面审查。申请材料符合本法规定，且行政决定具有法定执行效力的，人民法院应当自受理之日起五日内作出执行裁定。（草案第五十九条）“行政机关申请人民法院强制执行，不缴纳申请费。”“强制执行的费用由被执行人承担。”（草案第六十三条第一款、第二款）

行政强制法（草案）和以上说明是否妥当，请审议。

全国人民代表大会法律委员会关于《中华人民共和国行政强制法(草案)》修改情况的汇报

全国人民代表大会常务委员会:

常委会第十九次会议对行政强制法(草案)进行了初次审议。会后,法制工作委员会将草案印发各省(区、市)、中央有关部门和法学教学、研究机构等单位征求意见;2007 年 6 月,法律委员会、法制工作委员会会同国务院法制办在江苏召开研讨会,听取部分省(市)人大常委会法制委、政府法制办的意见。法律委员会于2007 年9 月27 日召开会议,根据常委会组成人员的审议意见和各方面的意见,对草案进行了逐条审议。国务院法制办有关同志列席了会议。10 月 22 日,法律委员会召开会议,再次进行了审议。现将草案主要问题的修改情况汇报如下:

一、有的地方提出,行政强制只是促使当事人履行法定义务的一种手段,不是目的。当事人经教育自觉改正违法行为,履行法定义务的,就不要再采取行政强制,应对行政机关教育和引导当事人自觉履行义务作出规定。法律委员会经研究,建议将草案第六条修改为:“实施行政强制措施,坚持教育与强制相结合,

实施非强制性措施可以达到行政管理目的,不得实施行政强制措施。”(草案二次审议稿第六条)

二、草案第十九条对采取限制公民人身自由的行政强制措施的程序作了规定。有些常委委员提出,限制人身自由的强制措施,应有更严格的程序约束,草案对查封、扣押财产的期限有规定,但对限制人身自由的强制措施没有规定期限,应加以规定。法律委员会经研究认为,限制人身自由的强制措施期限在单行法中都有具体规定。因此,建议在这一条中增加规定:“实施限制人身自由的强制措施的目的已经达到或者条件已经消失,应当立即解除。”(草案二次审议稿第十九条第二款)

三、草案第二十一条对行政机关依法对公民、法人或者其他组织的财物采取查封、扣押的行政强制措施作了规定。有些地方提出,为了保护当事人的合法权益,防止行政机关任意扩大查封、扣押的范围,应对查封、扣押的物品的范围加以限制。法律委员会经研究,建议在这一条中增加规定:“查封、扣押的物品限于涉案财物,不得查封、扣押与违法行为无关的财物。”(草案二次审议稿第二十一条第二款)并相应增加对违反上述规定的法律责任。(草案二次审议稿第六十三条)

四、草案第四十六条第二款对按日加处罚款和按日加处滞纳金的比例作了规定。有些常委委员、地方提出,实践中由于有些行政机关未及时通知、催告当事人履行缴纳罚款或者有关税费的义务,致使当事人未能及时缴纳罚款或者有关税费,有时加处罚款或滞纳金的数额非常巨大,应对这种情形加以规范。法律委员会研究认为,行政处罚法和税收征收管理法对加处罚款和滞纳金的比例已经分别作了规定,建议删去“按日加处罚款的比例不得高于百分之三。按日加处滞纳金的比例不得高于千分之二”的规定,同时增加规定:“加处罚款或者滞纳金的数额不得超出金钱给付义务的数额。”(草案二次审议稿第四十四条第二款)

五、草案第五十五条规定,没有行政强制执行权的行政机关可以依法申请人民法院强制执行。有些常委委员提出,为了提高行政效率,规范行政机关申请人民法院强制执行制度,应对行政机关申请人民法院强制执行的期限作出规定。法律委员会经研究,建议将这一条修改为:“当事人逾期不申请行政复议或者提起行政诉讼,又不履行行政决定的,没有行政强制执行权的行政机关可以自法定的复议或者诉讼期限届满之日起三个月内依照本章规定申请人民法院强制执行。”(草案二次审议稿第五十三条)

六、国务院法制办提出,行政机关向人民法院申请强制执行,人民法院应当依法受理。如果人民法院不予受理,怎么办?应予明确。法律委员会经研究,建议在草案第五十八条中增加规定:“行政机关对人民法院不予受理有异议的,可以在十五日内向上一级人民法院提出,上一级人民法院应当在三十日内作出是否受理的裁定。”(草案二次审议稿第五十六条第二款)

此外,还对草案作了一些文字修改。

草案二次审议稿已按上述意见作了修改,法律委员会建议本次常委会会议继续审议。

草案二次审议稿和以上汇报是否妥当,请审议。

全国人民代表大会法律委员会
2007 年 10 月 24 日

全国人民代表大会法律委员会关于《中华人民共和国行政强制法(草案)》修改情况的汇报

全国人民代表大会常务委员会:

行政强制法是一部规范行政强制的设定和实施,保障和监督行政机关依法履行职责,维护公共利益和社会秩序,保护公民、法人合法权益的重要法律。法制工作委员会从 1999 年 3 月开始行政强制法的起草工作,在多次调研并广泛征求国务院有关部门、地方人大和一些全国人大代表、专家意见的基础上,形成行政强制法(草案),于 2005 年 12 月提请十届全国人大常委会第十九次会议进行初次审议。会后,法律委员会、法制工作委员会再次征求有关方面意见,并召开部分地方人大和政府法制部门参加的研讨会听取意见,对草案进行研究修改。2007 年 10 月十届全国人大常委会第三十次会议再次审议了草案。根据本届常委会立法规划和今年的立法工作计划,法律委员会、法制工作委员会在前两次审议的基础上,认真研究了常委会组成人员和各方面的意见,并于 2009 年 6 月 11 日、12 日在京召开座谈会,征求国务院有关部门、部分地方人大和地方政府法制办、专家学者的意见,对草案作了进一步修改。法律委员会于2009年8月10日、19日召开会议,根据常委会组成人员的审议意见和各方面的意见,对草案进行了逐条审议。国务院法制办有关同志列席了会议。现将草案二次审议稿的主要内容和主要问题修改情况汇报如下:

一、草案二次审议稿的主要内容

(一)制定行政强制法的基本考虑

行政强制制度涉及行政管理效率,也涉及对公民人身权的限制和公民、法人财产权的处分。行政强制包括两部分:一是行政强制措施,即行政机关在实施行政管理过程中,依法对公民人身自由进行暂时性限制或者对公民、法人的财产实施暂时性控制的措施;二是行政强制执行,即行政机关或者由行政机关申请人民法院对不履行发生法律效力的行政决定的公民、法人,依法强制其履行义务的行为。由于对行政强制没有统一的法律规范,行政机关在执法过程中既存在滥用行政强制手段,侵害公民、法人合法权益的情况,也存在行政机关强制手段不足,执法力弱,对有些违法行为不能有效制止等问题。因此,根据各方面的意见,制定行政强制法,一是要明确行政强制的原则,从设定和实施程序上对行政强制权进行规范,预防并制裁执法人员滥用行政强制手段,保护公民、法人的合法权益。二是要规范、保障政府有效地实施行政管理。我国正处在改革发展的关键时期,应当保障行政机关依法履行职责,提高行政管理效能和公共服务水平,更好地维护公共利益和社会秩序。

(二)关于行政强制措施的设定和实施

行政强制措施的设定权限和实施程序是本法需规范的主要

问题。草案二次审议稿规定，行政强制措施由法律设定，尚未制定法律或者属于国务院行政管理职权事项的，行政法规可以设定查封场所、设施或者财物和扣押财物以及其他一些行政强制措施；尚未制定法律、行政法规，或者属于地方性事务的，地方性法规可以设定查封场所、设施或者财物和扣押财物两类行政强制措施。草案二次审议稿对实施行政强制措施的一般程序作了明确规定，对执法实践中用得比较多的查封、扣押和冻结等程序提出了具体要求，还对行政机关查询企业财务账簿、交易记录、业务往来等明确了具体规范。

（三）关于行政强制执行的设定和实施

对行政强制执行的设定和实施进行规范，是本法的一项重要内容。草案二次审议稿规定，实施行政强制执行的行政机关由法律规定，法律没有规定行政机关强制执行的，作出行政决定的行政机关应当申请人民法院强制执行。国务院法制办提出，为了行政管理的需要，实践中行政法规已经规定一些行政机关可以强制执行，草案二次审议稿的规定不能涵盖现行做法，建议明确行政法规可以设定必要的行政强制执行。另外，草案二次审议稿规定，人民法院对行政机关强制执行的申请进行书面审查，发现行政决定有明显缺乏事实、法律法规根据的，可以进行实质审查。有关部门尚有不同意见。对上述问题还需进一步研究。

二、草案三次审议稿的主要修改情况

（一）关于设定行政强制的论证评估

有些常委委员提出，为了规范行政强制的设定，保障公民、法人和其他组织的合法权益，草案应当增加设定行政强制的事前论证和实施中的评估程序。法律委员会经研究，建议增加两项内容："起草法律草案、法规草案，拟设定行政强制的，起草单位应当采取听证会、论证会等形式听取意见，并向制定机关说明设定该行政强制的必要性、可能产生的影响以及听取和采纳意见的情况。""行政强制的设定机关应当定期对其设定的行政强制进行评价；对已设定的行政强制，认为不适当的，应当对设定该行政强制的规定及时予以修改或者废止。""行政强制的实施机关可以对已设定的行政强制的实施情况及存在的必要性适时进行评价，并将意见报告该行政强制的设定机关。""公民、法人或者其他组织可以向行政强制的设定机关和实施机关就行政强制的设定和实施提出意见和建议。"（草案三次审议稿第十四条、第十五条）

（二）关于行政强制措施的实施主体

草案二次审议稿第十五条规定行政强制措施由法律、法规规定的行政机关或者法律、法规授权的组织实施。有些常委会组成人员和专家提出，目前行政强制措施的执法主体比较庞杂，有的地方和部门将行政强制权委托给社会组织和不具备资格的执法人员实施，有的甚至雇用临时人员执法，执法的随意性较大，侵害公民合法权益的情况时有发生，影响了法制的严肃性和政府形象。因此，应当对行政强制的执法主体进一步加以规范。法律委员会经同国务院法制办研究，建议增加两项内容："行政强制措施权不得委托。""行政强制措施应当由行政机关具备资格的正式执法人员实施，其他人员不得实施。"（草案三次审议稿第十七条第一款、第三款）

(三)关于行政强制措施的程序

有些常委委员提出,实践中发生的行政执法人员在实施行政强制措施过程中侵害公民、企业合法权益的情况,主要原因是程序不规范。法律在规定行政机关必要的行政强制措施的同时,应当从程序上加强对公民、企业合法权益的保护。法律委员会经同国务院法制办研究,建议在草案二次审议稿规定的基础上增加规定:"行政机关依法查询企业的财务账簿、交易记录、业务往来等事项,不得影响企业的正常生产经营活动,并应当保守所知悉的企业商业秘密。""不得查封、扣押公民个人及其所扶养家属的生活必需品。""延长查封、扣押的决定应当告知当事人。""强制执行完毕后,据以执行的行政决定被撤销,或者执行错误的,应当恢复原状,返还已被执行的财产;不能返还原物的,按市场价折价赔偿。"(草案三次审议稿第二十一条、第二十四条第一款、第二十六条第二款、第四十一条)

(四)关于执行协议

草案二次审议稿第八条第二款规定:"实施行政强制执行,行政机关可以在不损害公共利益和他人利益的情况下,与当事人达成执行和解。"有些常委委员提出,在执行中行政机关与当事人达成协议,既保证了行政决定的执行,又减少了社会冲突,符合构建社会主义和谐社会的要求。草案二次审议稿只对执行和解作了原则规定,但对具体方式没有规定,不利于这一原则的落实。法律委员会经研究,建议将草案二次审议稿第八条第二款移至第四章,并增加规定:"执行协议可以约定分阶段履行;当事人采取补救措施的,可以减免加处的罚款或者滞纳金。""执行协议应当履行。当事人不履行执行协议的,行政机关应当恢复

强制执行。”（草案三次审议稿第四十二条）

此外，还对草案二次审议稿作了一些文字修改。

草案三次审议稿已按上述意见作了修改，法律委员会建议提请本次常委会会议继续审议。

草案三次审议稿和以上汇报是否妥当，请审议。

全国人民代表大会法律委员会
2009年8月24日

全国人民代表大会法律委员会关于《中华人民共和国行政强制法(草案)》修改情况的汇报

全国人民代表大会常务委员会：

行政强制法旨在通过规范行政强制措施和行政强制执行的设定和实施，保护公民、法人和其他组织的合法权益，促进和监督行政机关依法履行职责。行政强制法(草案)经2005年12月、2007年10月十届全国人大常委会第十九次、第三十次会议两次审议，内容逐步完善。本届常委会第十次会议进行了第三次审议。会后，根据常委会组成人员的审议意见，常委会通过中国人大网向社会公开征求对草案的意见，共收到3800多条意见和建议。同时，法制工作委员会会同国务院法制办公室对行政法规中规定的行政强制措施和行政强制执行的情况进行了全面梳理和分析研究。法律委员会于4月8日召开会议，根据常委会组成人员的意见和各方面的意见，对草案进行了逐条审议。内务司法委员会、国务院法制办公室的负责同志列席了会议。4月13日，法律委员会召开会议，再次进行了审议。现将行政强制法(草案三次审议稿)主要问题的修改情况汇报如下：

一、草案三次审议稿第十一条第二款规定："法律中未设定行政强制措施的，行政法规、地方性法规不得增设行政强制措施。"经梳理，截止2010年上半年，现行行政法规中，规定了行政强制措施的有96件。其中，17件是在法律对特定事项作了原则规定，同时授权国务院规定具体管理措施的情况下，国务院在行政法规中规定了行政强制措施。国务院法制办公室提出，在这种情况下，应当明确行政法规可以设定行政强制措施。经研究，建议将这一款修改为："法律中未设定行政强制措施的，行政法规、地方性法规不得设定行政强制措施。但是，法律规定特定事项由行政法规规定具体管理措施的，行政法规可以设定除本法第九条第一项、第四项以外的行政强制措施。"同时，为了加强对行政强制措施设定权的规范，建议增加规定："法律、法规以外的其他规范性文件不得设定行政强制措施。"（草案四次审议稿第十一条第二款、第十条第四款）

二、草案三次审议稿第十七条第一款规定，行政强制措施由法律、法规规定的行政机关在法定职权范围内实施。国务院法制办公室提出，行政处罚法为解决对一些事项多头执法的问题，规定了相对集中行政处罚权制度，相关行政处罚权集中到一个行政机关后，与行政处罚有关的行政强制措施也应当由相应的行政机关实施，否则，相对集中的行政处罚权就难以落实。经研究，建议增加规定："依据《中华人民共和国行政处罚法》第十六条规定行使相对集中行政处罚权的行政机关，可以实施法律、法规规定的与行政处罚权有关的行政强制措施。"（草案四次审议稿第十七条第二款）

三、草案三次审议稿第四十九条第一款规定："行政机关依法作出要求当事人履行排除妨碍、恢复原状等义务的行政决定，当事人逾期不履行，经催告仍不履行的，行政机关可以委托没有利害关系的其他组织代履行。”有的常委委员提出，应当进一步明确代履行的范围，加强对代履行的规范。代履行是在当事人不履行相关义务的情况下，行政机关为维护公共利益而代为履行的一种执行方式。现有 13 部法律和 19 件行政法规规定了代履行，主要涉及维护交通安全、治理环境污染和保护自然资源等事项。经研究，赞成对代履行严格限定范围，建议将草案三次审议稿第四十九条第一款修改为：“行政机关依法作出要求当事人履行排除妨碍、恢复原状等义务的行政决定，当事人逾期不履行，经催告仍不履行，其后果已经或者将危害交通安全、造成环境污染或者破坏自然资源的，行政机关可以代履行，或者委托没有利害关系的第三人代履行。”（草案四次审议稿第五十条）

四、一些常委会组成人员和代表提出，行政强制涉及公共权力和公民权利的关系，要从程序上保障公民的合法权益，进一步严格规范行政强制权。经研究，建议将草案三次审议稿第二十六条第二款、第三十二条第二款修改为：“延长查封、扣押的决定应当及时告知当事人，并说明理由。”“延长冻结的决定应当及时告知当事人，并说明理由。”同时，为了明确解除查封、扣押的情形，建议将草案三次审议稿第二十八条第二款、第三款的有关规定修改为：“有下列情形的，行政机关应当及时作出解除查封、扣押的决定：（一）当事人没有违法行为的；（二）被查封、扣押的场所、设施或者财物与违法行为无关的；（三）行政机关对违法行为已经作出处理决定，不再需要查封、扣押的；（四）查封、扣押期限已经届满的；（五）其他不再需要采取查封、扣押措施的情形。”

另外,还在相关条款中对行政强制程序作了进一步完善。(草案四次审议稿第二十五条第二款、第三十二条第二款、第二十八条第一款)

此外,还对草案三次审议稿作了一些文字修改。

草案四次审议稿已按上述意见作了修改,法律委员会建议本次常委会会议继续审议。

草案四次审议稿和以上汇报是否妥当,请审议。

全国人民代表大会法律委员会
2011 年 4 月 20 日

全国人民代表大会法律委员会关于《中华人民共和国行政强制法(草案)》审议结果的报告

全国人民代表大会常务委员会：

常委会第二十次会议对行政强制法(草案)进行了四次审议。会后,法律委员会、法制工作委员会与最高人民法院、国务院法制办公室就草案有关问题进行了共同研究。法律委员会于6月9日召开全体会议,根据常委会组成人员的审议意见和各方面的意见,对草案进行了逐条审议。内务司法委员会和国务院法制办公室的有关负责同志列席了会议。法律委员会认为,为了规范行政强制的设定和实施,保障和监督行政机关依法履行职责,维护公共利益和社会秩序,保护公民、法人和其他组织的合法权益,制定本法是必要的,草案经过四次审议修改,已经比较成熟。同时,提出了以下主要修改意见：

一、草案四次审议稿第十条第二款规定:“尚未制定法律,且属于国务院行政管理职权事项的,行政法规可以设定除本法第九条第一项、第四项以外的行政强制措施。”有的常委委员提出,根据这一规定,行政法规可以设定“其他行政强制措施”,缺少限制，规范性不够，如涉及进入公民住宅等的行政强制措施就只能由法律规定。据此，建议将这一款修改为：“尚未制定法律，且属于国务院行政管理职权事项的，行政法规可以设定除本法第九条第一项、第四项和应当由法律规定的行政强制措施以外的其他行政强制措施。”同时，对草案四次审议稿第十一条第二款也作了相应修改。（草案五次审议稿第十条第二款、第十一条第二款）

二、草案四次审议稿第十五条第三款规定：“公民、法人或者其他组织可以向行政强制的设定机关和实施机关就行政强制的设定和实施提出意见和建议。”有些常委委员、代表提出，应当进一步规定相应的受理和反馈机制。经研究，建议将这一款修改为：“公民、法人或者其他组织可以向行政强制的设定机关和实施机关就行政强制的设定和实施提出意见和建议。有关机关应当认真研究论证，并以适当方式予以反馈。”（草案五次审议稿第十五条第三款）

三、草案四次审议稿第三十三条第一款规定，对行政机关已经冻结的存款、汇款，“不再需要冻结的，行政机关应当及时作出解除冻结的决定。”为了进一步明确解除冻结的情形，保护当事人的合法权益，根据有的常委委员的意见，建议将这一款修改为：“有下列情形之一的，行政机关应当及时作出解除冻结决定：（一）当事人没有违法行为；（二）冻结的存款、汇款与违法行为无关；（三）行政机关对违法行为已经作出处理决定，不再需要冻结；（四）冻结期限已经届满；（五）其他不再需要采取冻结措施的情形。”（草案五次审议稿第三十三条第一款）

四、草案四次审议稿第六十条规定：“行政机关向人民法院申请强制执行的案件,裁定执行的,由人民法院执行。”最高人民法院提出,实践中向人民法院申请强制执行的案件,除依照现行体制由法院审查裁定并执行的外,还正在探索对有的案件原来由行政机关强制执行或者申请人民法院强制执行的双轨制,改为均需由行政机关申请人民法院强制执行的单轨制,法院审查裁定执行的,由行政机关组织实施,建议行政强制法对此予以体现。法律委员会经同最高人民法院、国务院法制办公室研究,考虑到这种执行方式尚在改革探索,草案对具体执行方式可不作规定,为法院探索改革执行方式留有空间。因此,建议删去草案四次审议稿上述规定。

为切实保障本法的贯彻实施,法律委员会建议国务院和各地方抓紧部署对本法公布前制定的法规、规章和其他规范性文件中已经设定的行政强制进行专项清理,对不符合本法规定的,抓紧修改或者废止。

此外,还对草案四次审议稿作了一些文字修改。

草案五次审议稿已按上述意见作了修改,法律委员会建议经本次常委会会议审议,如果审议意见比较一致,由本次会议表决通过。

草案五次审议稿和以上报告是否妥当,请审议。

全国人民代表大会法律委员会
2011 年 6 月 27 日

全国人民代表大会法律委员会关于《中华人民共和国行政强制法(草案五次审议稿)》修改意见的报告

全国人民代表大会常务委员会:

本次常委会会议于6月27日下午对行政强制法(草案五次审议稿)进行了分组审议,普遍认为,草案经过多次审议,已经比较成熟,建议进一步修改后提请本次会议通过。同时,有些常委委员和代表还提出了一些修改意见。法律委员会于6月28日下午召开会议,根据常委委员的审议意见和各方面的意见,对草案进行了审议。内务司法委员会、国务院法制办公室的负责同志列席了会议。法律委员会认为,草案是可行的,同时,提出以下修改意见:

一、草案五次审议稿第二十五条第一款规定:“查封、扣押的期限不得超过三十日;情况复杂的,经行政机关负责人批准,可以延长三十日。但是,法律、行政法规另有规定的除外。”有的代表提出,延长查封、扣押的期限应当谨慎,即使情况复杂,也不一定都要延长三十日。经研究,建议将这一款修改为:“查封、扣押的期限不得超过三十日;情况复杂的,经行政机关负责人批准,可以延长,但是延长期限不得超过三十日。法律、行政法规另有规定的除外。”

同时，对草案五次审议稿第三十二条第一款也作了相应修改。（草案建议表决稿第二十五条第一款、第三十二条第一款）

二、草案五次审议稿第二十五条第二款规定："延长查封、扣押的决定应当及时告知当事人，并说明理由。"有的常委委员提出，延长查封、扣押的决定应当书面告知当事人。为了进一步完善查封、扣押的程序，保护当事人的合法权益，经研究，建议将这一款修改为："延长查封、扣押的决定应当及时书面告知当事人，并说明理由。"同时，对草案五次审议稿第二十五条第三款、第三十二条第二款也作了相应修改。（草案建议表决稿第二十五条第二款、第三款、第三十二条第二款）

为了更好地规范行政强制的设定和实施，保障和监督行政机关依法履行职责，维护公共利益和社会秩序，保护公民、法人和其他组织的合法权益，本法通过后，有关部门应当采取多种形式，广泛宣传和深入学习这部法律；国务院和各地方应当抓紧对本法公布前制定的法规、规章和其他规范性文件进行专项清理，对不符合本法规定的，抓紧修改或者废止，为这部法律的实施作好充分准备，切实发挥法律的规范、引导和保障作用。

此外，根据常委委员的审议意见，还对草案五次审议稿作了个别文字修改。

草案建议表决稿已按上述意见作了修改，法律委员会建议本次常委会会议通过。

草案建议表决稿和以上报告是否妥当，请审议。

全国人民代表大会法律委员会
2011 年 6 月 30 日